CE2
cycle 2

La Préh

Laurence Schaack

L'enfant-léopard

Le secret du feu

Un crime dans la grotte

Le village de Doïna

Notes de **Pascal Dupont**
Formateur
IUFM Midi-Pyrénées

hachette
ÉDUCATION

Édition : Thierry Amouzou
Fabrication : Nicolas Schott
Illustrations : Diona, Sylvie Eder, Marianne Maury-Kaufmann, Bruno David
Frises historiques : Laurent Rullier
Création de la couverture : Estelle Chandelier
Réalisation de la couverture : Estelle Chandelier
Maquette intérieure : Laurent Carré, Michaël Funck
Réalisation : Créapass, Paris
Photogravure : Nord Compo

Crédits photographiques

Page 5 crâne d'un australopithèque, Olduvai, Tanzanie, vers 1,9 million d'années avant J.-C. © Musée de l'Homme, D.R. **page 33** crâne d'un *Homo erectus* (« homme de Tautavel »), Pyrénées orientales, vers 450 000 avant J.-C. © John Reader/Science Photo Library/Cosmos **page 63** crâne d'un homme de Néandertal (gauche), vers 70 000 avant J.-C., La Ferrassie, France, crâne d'un homme de Cro-Magnon (*Homo sapiens*), vers 30 000 avant J.-C., Les Eyzies, France © John Reader/Science Photo Library/Cosmos **page 95** « Dieu à la faucille », statue en terre cuite, Hongrie, 5 000 avant J.-C. © Szentes, Koszta Josef Museum, Hongrie, D.R.

PAPIER À BASE DE FIBRES CERTIFIÉES

hachette s'engage pour l'environnement en réduisant l'empreinte carbone de ses livres. Celle de cet exemplaire est de :
550 g éq. CO_2
Rendez-vous sur www.hachette-durable.fr

ISBN : 978-2-01-117412-3

58 rue Jean Bleuzen, CS 70007, 92178 Vanves Cedex

www.hachette-education.com

AVANT-PROPOS

De l'histoire en littérature, pour quoi faire ?

Les apprentissages fondamentaux : **parler**, **lire**, **écrire** ne sauraient se résumer à des savoir-faire décontextualisés et vides de sens.
Ouvrir aux enfants la porte de l'histoire à travers la littérature, c'est les introduire dans des époques différentes afin de mieux connaître les grandes périodes historiques, les formes de pouvoirs qui s'y sont développées, les relations entre les divers groupes sociaux, les productions culturelles, artistiques et scientifiques.
À travers ces lectures, les élèves se constitueront une première **culture historique** donnant accès à d'autres dimensions que les seuls événements politiques.

Quelles œuvres choisir ?

Le bibliobus Hachette **historique** propose aux jeunes lecteurs des œuvres de fiction fondées sur de réels éléments historiques qui complètent la lecture des documents de l'époque. Elles visent à nourrir la réflexion collective des élèves, à faire naître des interrogations, à susciter des débats.
Une attention particulière est portée dans les textes au vocabulaire historique spécifique pour pouvoir le comprendre et le réutiliser de manière appropriée.

Devenir lecteur

On le sait depuis longtemps : il ne suffit pas d'avoir appris à lire pour devenir lecteur. **Le goût** et **le plaisir de lire** ne peuvent se développer qu'à partir de rencontres fréquentes avec les textes.
Il convient donc avant tout de lire beaucoup.

Les adultes accompagneront les enfants sur le chemin de la lecture en lisant eux-mêmes des textes à haute voix qui permettent de « raconter » l'histoire. Ils donneront ainsi aux enfants l'occasion de partager des émotions, de développer une première forme d'esprit critique tout en les guidant dans leur compréhension.
Pour éviter la mise en mémoire d'informations fragmentées, ils les aideront peu à peu à tisser des réseaux de significations entre différentes œuvres et différentes époques.

La littérature et l'histoire à l'école

L'école s'est fixé pour objectif de donner à chaque enfant les références culturelles nécessaires pour que le monde des hommes commence à prendre sens pour lui.
Dans le domaine de la **culture humaniste** : « L'**histoire** et la géographie donnent des repères communs, termporels et spatiaux, pour commencer à comprendre l'unité et la complexité du monde. Elles développent chez les élèves curiosité, sens de l'observation et esprit critique[1]. »
Dans le domaine de la **littérature** : « Le programme de littérature vise à donner à chaque élève un répertoire de références appropriées à son âge, puisées dans le patrimoine et dans la littérature de jeunesse d'hier et d'aujourd'hui ; il participe ainsi à la constitution d'une culture littéraire commune[2]. »
Il appartient aux éducateurs : enseignants, parents, médiateurs du livre, de relayer cette ambition.

Pascal Dupont

1 et 2 : *Les programmes de l'école primaire*, B. O. E. N., 19 juin 2008.

Laurence Schaack

L'enfant-léopard

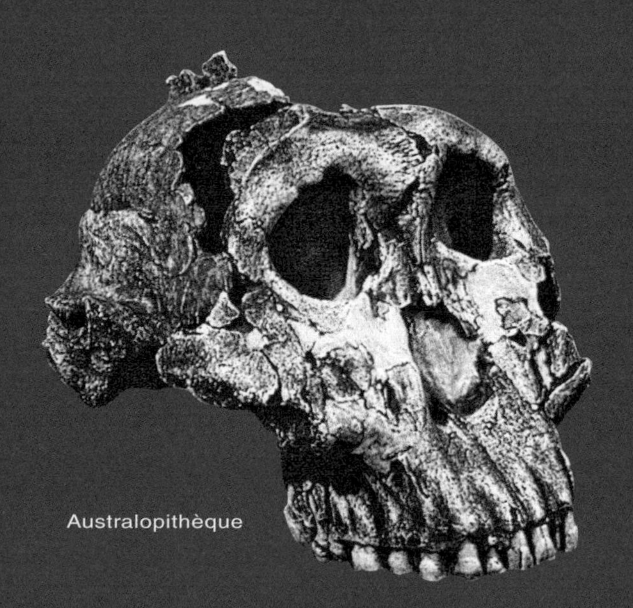

Australopithèque

Illustré par Diona

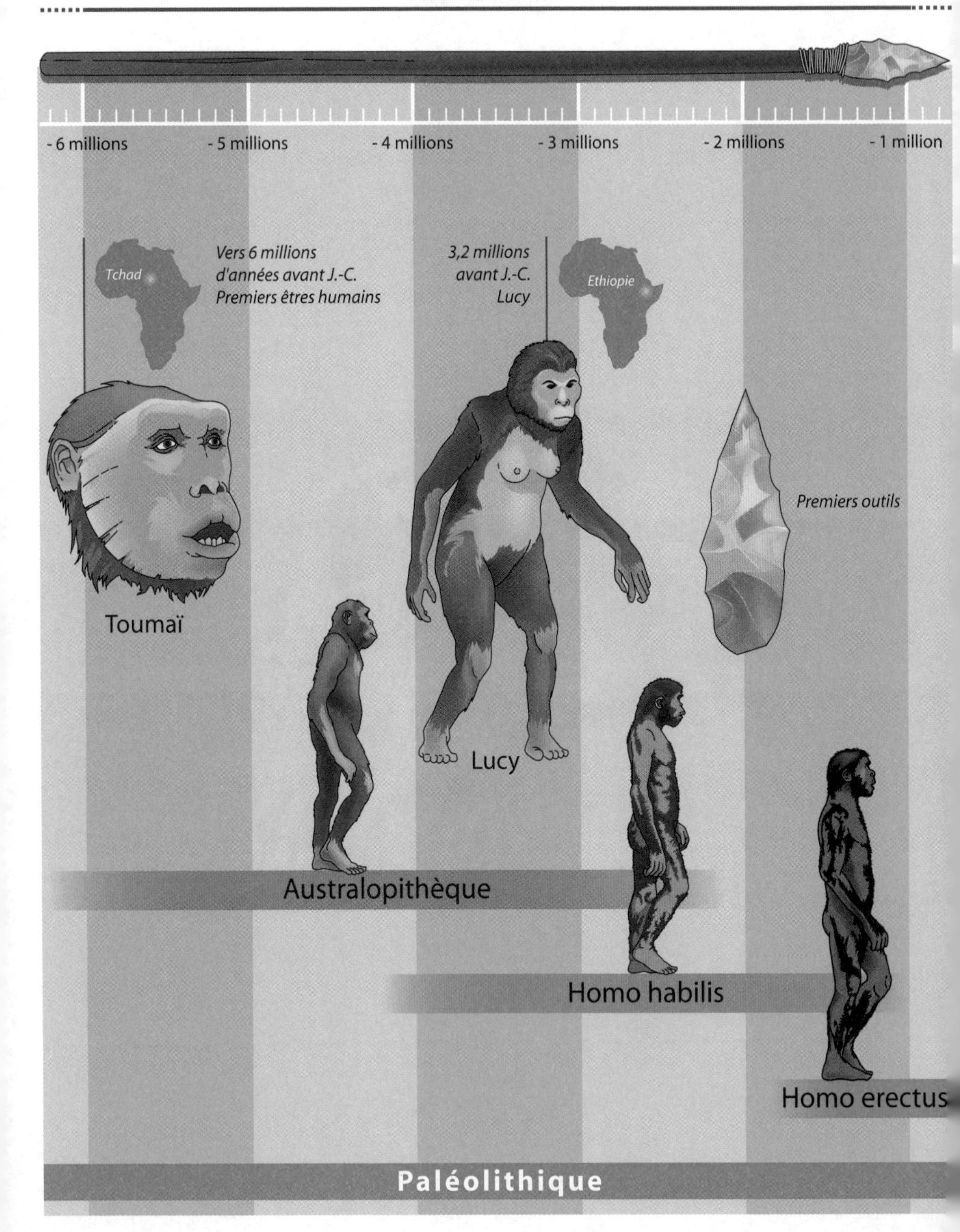
- 6 millions
- 5 millions
- 4 millions
- 3 millions
- 2 millions
- 1 million
Tchad
Vers 6 millions
d'années avant J.-C.
Premiers êtres humains
3,2 millions
avant J.-C.
Lucy
Ethiopie
Toumaï
Premiers outils
Lucy
Australopithèque
Homo habilis
Homo erectus
Paléolithique

La saison sèche

Il y a bien longtemps de cela, plus d'un million d'années, les Homo habilis vivaient en Afrique. Ils se déplaçaient dans la savane au gré de leurs besoins. Kawou et les siens arrivèrent, après avoir beaucoup marché, sur les rives d'un fleuve. Kawou avait huit ans. Il était donc assez fort et vigoureux pour aider les adultes à organiser le campement.
Ils commencèrent par former des cercles avec de grosses pierres. Ensuite, ils coincèrent des branches entre ces pierres et les inclinèrent vers le haut. Le jour, ces cabanes offraient de l'ombre pour se reposer. La nuit, elles les protégeaient des fauves qui venaient rôder près du fleuve.
Les arbres de la forêt toute proche et les plantes de la savane fournissaient des racines, des graines, des fruits et des feuilles comestibles. Sur le bord de la rivière, se trouvaient de nombreux galets que les hommes taillaient pour en faire des outils.

Homo habilis : « homme habile », premier homme, apparu il y a 2,4 millions d'années

vigoureux : robuste, plein d'énergie

un fauve : famille des mammifères carnivores comme le lion, le tigre

la savane : immense plaine couverte de hautes herbes et d'arbres clairsemés

comestible : que l'on peut manger

Le groupe ne manquait donc ni d'eau, ni de nourriture, ni de pierres. C'était un endroit agréable, sans doute le meilleur des campements qu'ils aient jamais trouvé. Le soir après le repas, lorsque la nuit était claire, ils prenaient le temps de raconter des histoires et de se faire rire en mimant leurs aventures de la journée.

Mais la saison sèche arriva. Le soleil tapait dur et le ciel était d'un bleu presque blanc. Le fleuve n'était plus qu'un mince filet d'eau qui courait entre les rochers. Les fruits avaient disparu, les herbes et les feuilles étaient devenues jaunes et lorsqu'on essayait de les mâcher, elles blessaient l'intérieur de la bouche. Kawou et sa famille s'endormaient souvent avec la faim au ventre. Un matin, les hommes décidèrent de s'enfoncer loin dans la savane pour

chercher de la nourriture. C'était une expédition dangereuse, car dans les hautes herbes, un fauve pouvait surgir à n'importe quel moment. Aussi, ne s'aventuraient-ils jamais seuls loin du campement.

Kawou aurait bien aimé les accompagner. Mais sa mère lui fit signe de rester avec elle et lui tendit un bâton à fouir pour chercher des tubercules et des racines comestibles. Déçu et fâché, Kawou regarda le groupe des hommes qui s'enfonçaient dans la savane. Puis il commença à gratter le sol avec son bâton, mais la terre était si dure et si sèche que la pointe en bois se cassa. Sa mauvaise humeur augmenta et, découragé, il grimpa dans les branches d'un baobab. Il faisait bon à l'ombre du grand arbre et il s'endormit presque aussitôt.

fouir : creuser la terre

un tubercule : renflement d'une racine qui contient des réserves nutritives (le manioc, la pomme de terre sont des tubercules)

un baobab : arbre des régions tropicales dont le tronc énorme peut atteindre une vingtaine de mètres de diamètre

Seul au monde

Des cris de joie réveillèrent Kawou alors que le soleil était encore haut dans le ciel. Les hommes revenaient au campement, avec des morceaux de viande suspendus à leurs bâtons. Avec des gestes, des mimiques et les quelques mots qu'ils possédaient, ils expliquèrent que, pas très loin, du côté de la montagne, ils avaient trouvé la carcasse d'une vieille gazelle, morte depuis peu.

Aussitôt une folle agitation s'empara du campement. Il fallait se dépêcher d'aller chercher le reste de viande avant que les hyènes ne s'en emparent. Ils rassemblèrent leurs pierres grossièrement taillées pour découper l'animal et bientôt tout le clan se rua sur la carcasse. Kawou qui courait devant avec les autres enfants, vit que les hyènes étaient déjà là et il se jeta au milieu de la horde en agitant son bâton et en lançant des pierres. Les hyènes montrèrent les dents, poussèrent des ricanements furieux, mais elles finirent par s'en aller.

une mimique : une expression du visage

une carcasse : ensemble des os d'un animal mort

une horde : une troupe d'animaux sauvages vivant en groupe

Les adultes commencèrent alors à découper la carcasse de la gazelle. Fasciné, Kawou observait sa mère qui taillait la viande avec des gestes précis, à l'aide de son tranchoir. La faim le reprit de plus belle devant cette belle viande rouge. Soudain, Kawou se dressa, tous les sens en éveil. Ce bruit au loin, cette odeur inhabituelle, et ce tremblement dans l'air… Il ne savait pas ce que c'était, mais il devinait un danger. C'était…

un tranchoir : une pierre utilisée pour couper

« Feu ! Feu ! » s'écria-t-il en montrant du doigt la fumée qui s'élevait au loin, au-delà du fleuve.
Tout le clan se tourna dans la direction qu'il indiquait. Un orage sec avait éclaté à cause de la chaleur. La fumée montait dans le ciel clair. Bientôt, les flammes poussées par le vent apparaîtraient et le feu, ce monstre qui dévore tout, allait les rattraper. Saisis de panique, hommes, femmes et enfants s'enfuirent à travers la savane, tournant le dos à la fumée qui se rapprochait. Kawou sentit la main de sa mère se fermer autour de son poignet et l'entraîner en direction des falaises.

Les animaux avaient eux aussi senti le danger. Sivatheriums, hipparions, antilopes, rhinocéros, lièvres et perdrix fuyaient tous dans la même direction. Hors d'haleine, aveuglé par les herbes qui lui fouettaient le visage, Kawou volait plus qu'il ne courait, entraîné par sa mère. Ils étaient presque arrivés à la montagne. Un troupeau de gnous rendus fous par la proximité des flammes galopait derrière eux dans un nuage de poussière. Le bruit de leurs sabots ressemblait à celui du tonnerre. Kawou sentit les bras de sa mère le soulever de terre et le hisser sur un escarpement rocheux.
« Monter haut ! » ordonna sa mère avec des gestes de la main. « Monter ! »
La paroi était abrupte, mais Kawou, poussé par la peur, réussit à se hisser jusqu'en haut de la colline. C'est alors qu'il regarda en bas et réalisa qu'il était seul. En bas de la falaise, les flammes avaient dévoré la savane. Sa mère n'avait pas réussi à le suivre. Les autres membres du groupe avaient eux aussi disparu. Il hurla leurs noms, mais sa voix se perdit dans le vent.
Le soir tombait. Il était seul au monde. Épuisé, glacé par la peur, il se pelotonna derrière une grosse pierre et sombra dans le sommeil.

un sivatherium : l'ancêtre de la girafe

un hipparion : l'ancêtre du cheval

hisser : faire monter

un escarpement : versant abrupt d'une colline

se pelotonner : se rouler en boule

Sauvé par un arbre

Kawou se réveilla à l'aube. Il n'avait ni mangé ni bu depuis la veille. Sa bouche était sèche et la faim lui nouait le ventre. Il se leva tout engourdi, regarda autour de lui et renifla l'air. Une odeur écœurante de brûlé envahit ses poumons. Soudain, la mémoire lui revint. L'incendie, le troupeau de gnous, la disparition de sa mère et des autres membres du groupe n'étaient pas un mauvais rêve.
Il jeta un coup d'œil en bas de la falaise. Le passage du feu avait transformé la savane en une étendue de cendres noires et grises. Il était seul sur une falaise inconnue, tout son groupe avait été tué et plus personne ne pouvait lui venir en aide. Il savait que sans l'aide de ses semblables, un homme seul ne pouvait pas survivre dans la savane. S'il ne mourait pas de faim ou de soif, il serait dévoré par les grands carnivores. À cette pensée, Kawou se sentit si seul qu'il se roula à nouveau en boule sous son rocher et décida de ne plus bouger.

carnivore : qui se nourrit de viande

Mais la soif fut la plus forte. Au bout d'un moment, il se leva et décida de s'en aller. Mais pour aller où ? Il tourna le dos à la savane brûlée et à cette horrible odeur qui lui rappelait son malheur. Pour calmer sa soif, il ramassa un petit caillou bien rond et se mit à le sucer. Il marcha longtemps, malgré sa bouche sèche et le soleil qui lui mordait la nuque. La faim le torturait, ses jambes tremblaient. Mais il savait que s'il s'arrêtait, il n'arriverait plus à se relever.

un bosquet : un groupe d'arbres

Au bout d'un moment, il aperçut des bosquets d'arbres au feuillage vert tendre et l'espoir lui revint. Il reconnaissait la forme et la couleur de ces feuilles, il en avait souvent ramassé avec sa mère. Avec le peu de forces qui lui restait, il courut jusqu'au bosquet et arracha les feuilles. Il était si affamé qu'il ne prenait même pas la peine de les mâcher. Elles étaient jeunes et savoureuses, elles calmaient sa soif et sa faim. Lorsqu'il fut rassasié, il décida de monter dans l'arbre pour se reposer. Si jamais un fauve passait par là, il serait à l'abri.

En grimpant dans l'arbre, il aperçut un nid bien caché dans le feuillage. Il regarda à l'intérieur et poussa un cri de joie. Au fond reposaient quatre œufs gros comme le poing. C'était exactement la nourriture qu'il lui fallait. Il cassa une petite branche, choisit l'œuf le plus gros et brisa délicatement le haut de la coquille. Il plaça l'œuf devant sa bouche, fit un trou de l'autre côté. Le liquide tiède et nourrissant coula sur sa langue. Il décida de garder les autres pour plus tard.

gober : avaler en aspirant

Il se souvint tout à coup de sa mère qui lui avait appris à gober les œufs. Elle les adorait. Lorsqu'il avait envie de lui faire plaisir, Kawou partait à la chasse aux nids. Il allait de branche en branche jusqu'à ce qu'il en trouve un. Alors il s'en emparait délicatement et il courait jusqu'à sa mère. Rassasiée, elle lui grattait la tête pour lui manifester son plaisir. Ses doigts étaient rugueux et ses ongles étaient durs comme la pierre, mais Kawou adorait ses caresses. À ce souvenir, les larmes lui montèrent aux yeux et il se recroquevilla contre l'arbre.

rugueux : rude au toucher

se recroqueviller : se replier sur soi-même

Il sursauta en entendant des bruits étouffés. Il se serra plus fort contre le tronc de l'arbre. Un peu plus loin, dans une prairie d'herbe rase, une dizaine de silhouettes venaient vers le bosquet d'arbres. Des silhouettes qui avançaient sur leurs pattes arrière… Kawou, le cœur battant, comprit qu'il s'agissait d'hommes comme lui.

Des cousins, pas des frères

Mais ce n'était pas des hommes. C'étaient des Australopithèques, des « hommes-singes », comme les appelaient les compagnons de Kawou. Ils avançaient les jambes fléchies, en dandinant leurs hanches de droite et de gauche. Leurs bras se balançaient lourdement au rythme de leurs pas. Une fourrure marron couvrait leur corps et entourait leur tête. Ils avaient un visage large, sans menton, avec des pommettes saillantes. Leur front était aplati vers l'arrière. Lorsque des Homo habilis les croisaient, les hommes-singes s'enfuyaient en poussant des cris effrayés. Les Homo habilis et les Australopithèques se connaissaient, mais ils ne se fréquentaient pas. La mère de Kawou lui avait expliqué que les hommes-singes n'étaient pas agressifs, mais pas très malins non plus. Leurs pierres étaient mal taillées, ils ne construisaient pas d'abri et se contentaient de vivre dans les arbres.
« Cousins, disait-elle, mais pas frères. »

Australopithèque : ancêtre de l'homme, apparu il y a 3,5 millions d'années

en dandinant : en balançant

Kawou sauta de son arbre. Les hommes-singes, surpris, poussèrent des hurlements stridents et montrèrent les canines. Kawou comprit qu'il leur avait fait peur et il leva les mains vers le ciel. C'était le signe qu'on utilisait dans son groupe quand on croisait un étranger, pour lui montrer qu'on ne lui voulait pas de mal. L'un des hommes-singes fit quelques pas vers lui, en le menaçant d'un bâton. Son poil était clairsemé de gris et une grande cicatrice traversait son visage. Il était terrifiant.

Kawou recula contre le tronc de l'arbre. L'homme-singe baissa son bâton, le regarda un instant avant de pousser des cris. Kawou comprit qu'il s'adressait à lui, mais il était incapable de comprendre son langage.

« Ami », répéta-t-il en levant les mains vers le ciel.

Le vieux balafré se tourna vers les autres hommes-singes et ils commencèrent à parler entre eux. Leur langage était fait de gestes, de mimiques et de sons qui ressemblaient plus à des cris de singes qu'à des mots articulés. Kawou savait qu'ils discutaient de son sort et il attendait, la gorge nouée. Finalement, les hommes-singes cessèrent leurs cris et firent demi-tour, comme si Kawou n'existait pas. Il courut derrière eux en s'écriant :

« Kawou seul ! Partir avec vous. »

Mais le vieux avec la cicatrice le chassa d'un geste du bras. Kawou eut soudain une idée.

strident : très aigu, perçant

une canine : une dent pointue qui sert à déchirer les aliments

balafré : qui a une longue entaille sur le visage

la gorge nouée : être tellement ému que l'on ne peut plus parler

« Attendre ! » fit-il avant de faire demi-tour vers l'arbre.
Il grimpa dans les branches et redescendit avec le nid serré contre lui. Il le tendit au Vieux.
« Pour toi. »
L'homme-singe accepta le cadeau avec un grognement satisfait et se remit en marche avec son groupe.
Kawou les suivit à nouveau, à quelques pas de distance. Il ne savait pas si les hommes-singes lui avaient permis de venir avec eux. En tout cas, ils ne le chassaient plus…

Une ronde dans le ciel

Le reste de la horde les attendait à quelques pas de là, dans une forêt d'acacias. Une vingtaine d'hommes-singes, de femmes et d'enfants se mirent à se dandiner devant Kawou en le reniflant et en poussant de petits cris surpris. Il était presque aussi grand que les femelles adultes. Une fois la surprise passée, ils s'éloignèrent de lui et retournèrent à leurs occupations. L'un cassait des noix avec un caillou, un autre taillait une branche en pointe avec un galet, un autre écrasait une racine avec une pierre pour en sucer le jus. Tout à coup rempli de curiosité, Kawou les observait. Ils ne lui semblaient plus tellement différents des hommes de son groupe. Comme eux, ils fouillaient la terre et grimpaient aux arbres pour chercher de quoi se nourrir. Comme eux, ils s'accroupissaient pour manger. Et même s'ils ne parlaient pas, ils se communiquaient avec des mimiques leur plaisir de se remplir le ventre.

Lorsque la nuit commença à tomber, les hommes-singes se pressèrent vers les arbres. Ils grimpèrent avec agilité dans les branches, suivis par Kawou qui avait du mal à les suivre. Il comprit pourquoi les Australopithèques préféraient vivre dans les arbres : ils étaient maladroits sur leurs jambes, mais leurs mains et leurs pieds étaient faits pour s'accrocher dans les branches. La horde s'installa confortablement dans les arbres pour commencer la toilette du soir. Chaque homme-singe en épouillait un autre, tout en poussant des cris et en faisant des mimiques.

se presser : se dépêcher de se diriger vers

épouiller : débarrasser des poux

Un jeune s'approcha de Kawou qui s'était installé un peu à l'écart et l'observa avec curiosité. Kawou n'avait aucune fourrure, à part sur le crâne. Le petit Australopithèque commença à lui épouiller les cheveux. Ses doigts fureteurs lui chatouillaient le crâne et Kawou poussa un éclat de rire. Le jeune homme-singe recula effrayé et courut se blottir dans les bras de sa mère. Kawou l'appela d'une voix douce et lui fit signe de revenir, mais le petit montra ses minuscules canines et poussa un grondement. Les hommes-singes avaient peur du rire et ne comprenaient pas son langage. Il se sentit à nouveau très seul, et il s'endormit en pensant à sa mère.

fureteur : qui fouille

Le lendemain matin, la horde abandonna les arbres pour chercher de la nourriture. Les hommes-singes

se déplaçaient à moitié sur leurs jambes, à moitié à quatre pattes. Ils se dressaient parfois au milieu des herbes pour vérifier qu'aucun danger ne les menaçait. Ils tentèrent de pénétrer dans une forêt couverte de feuilles tendres et de fruits juteux. Mais les grands singes, dont c'était le territoire, les repoussèrent avec des pierres et des bâtons. La horde des hommes-singes dut se contenter de marcher au hasard dans la savane, en plantant leur bâton dans la terre pour trouver des aliments durs et difficiles à mâcher : des noix, des bulbes ou des racines.
Toute la journée fut consacrée à chercher à manger et à mastiquer ce que l'on avait trouvé. Vers le soir, ils tombèrent sur une termitière. Elle était plus haute que le plus grand des hommes-singes et grouillait de vie. Ils se régalèrent un moment avec les gros termites qui craquaient sous la dent et les larves qui

tenter :
essayer

un bulbe :
oignon à partir duquel la plante se développe

mastiquer :
mâcher longuement

une termitière :
nid de termites qui peut atteindre plusieurs mètres de haut

grouiller :
être pleine d'un grand nombre d'insectes remuant dans tous les sens

une larve :
forme de l'insecte avant de devenir adulte

fondaient sur la langue. Ensuite, la horde s'installa dans les arbres pour dormir. Kawou commençait à trouver que leur vie était ennuyeuse. Jamais ils ne s'arrêtaient pour se reposer, ou pour jouer, ou pour raconter une histoire. Mais au moins, il n'était pas seul, livré à lui-même et sans défense.

être livré à soi-même : se sentir abandonné

Le jour suivant, en levant les yeux vers le ciel, il aperçut une ronde de vautours qui planait tout près de là. Il poussa un cri de joie. La présence des oiseaux mangeurs de viande morte signifiait qu'il y avait quelque part une carcasse assez fraîche pour être mangée. Kawou fit signe aux hommes-singes de le suivre et il courut en direction des vautours. Les Australopithèques, surpris, le regardèrent s'éloigner, avant de le suivre avec prudence. Ils avaient peur des animaux nécrophages et ne comprenaient pas ce que Kawou était en train de faire.

nécrophage : qui se nourrit d'animaux mort, charognard

Des crocs dans un os

Les hyènes étaient déjà là, en train de déchirer le cadavre d'un hipparion. Sans réfléchir, Kawou bondit au milieu d'elles en poussant des cris et en agitant son bâton. Depuis son plus jeune âge, il était habitué à faire fuir les hyènes. C'était, pour le groupe, la seule façon de trouver de la viande. Mais un enfant ne s'aventurait jamais à le faire seul. Des hyènes affamées étaient capables de s'attaquer à un petit humain isolé.

Les hommes-singes avaient bien trop peur pour intervenir et ils observèrent le combat à l'écart. Très vite, les hyènes forcèrent le jeune Homo habilis à reculer et l'une d'elles le mordit au mollet. Le vieil homme-singe à la cicatrice poussa un cri qui voulait dire : « je t'avais prévenu ! » Les hommes-singes s'éloignèrent et Kawou fut bien obligé d'abandonner l'hipparion pour les suivre, malgré son envie de manger de la viande.

le mollet : la partie arrière de la jambe entre la cheville et le genou

La saison sèche s'acheva, suivie par la saison des pluies, puis par une autre saison sèche. Bien des saisons s'écoulèrent ainsi. Kawou avait quinze ans et il vivait toujours avec les hommes-singes. Il avait appris à parler leur langage, il grimpait aux arbres presque aussi bien qu'eux. Mais il avait tellement grandi qu'il les dépassait tous d'une bonne tête. Il était capable de courir sans se fatiguer, alors que les hommes-singes avaient du mal à marcher longtemps sur leurs deux pattes arrière. La horde avait fini par l'accepter, même s'il n'avait pas de fourrure sur le corps et que personne ne l'épouillait le soir. Kawou s'endormait à l'écart et se réveillait souvent en rêvant de sa mère.

Un jour, la nouvelle famille de Kawou tomba nez à nez avec des hyènes qui s'acharnaient sur un sivatherium gravement blessé. Les hommes-singes s'écartèrent craintivement et poursuivirent leur chemin, mais Kawou ramassa des pierres et un bâton. Son envie de viande était plus forte que la peur. Il était désormais assez fort et vigoureux pour effrayer les hyènes qui s'enfuirent en glapissant. Lorsqu'elles se furent éloignées, le sivatherium était mort et Kawou, qui n'avait pas de tranchoir, attaqua la carcasse avec ses dents.

Cela faisait des années qu'il n'avait pas mangé de viande et il se régalait. Une fois rassasié, il se saisit d'un os et le cassa en deux. Tout en suçant la moelle,

nez à nez: se trouver soudain en face

en glapissant: en poussant des cris brefs et aigus

il regarda autour de lui et sursauta en apercevant une femelle léopard allongée dans l'herbe, comme endormie. Il s'approcha avec prudence avant de comprendre qu'elle était morte. C'était sans doute elle qui avait attaqué le sivatherium. Mais celui-ci s'était défendu et avait lancé un coup de sabot qui lui avait fracturé les os de la tête. La femelle léopard était morte en même temps que sa proie. Rassuré, Kawou poussa un soupir dans l'os qu'il tenait toujours serré entre ses lèvres. Un son étrange en sortit.

une proie : animal chassé par un autre animal pour le manger

Surpris, Kawou examina son os. Les dents pointues des hyènes l'avaient percé de plusieurs trous. Kawou le remit dans sa bouche et recommença à inspirer puis à souffler. À chaque fois qu'il soufflait, l'os produisait un sifflement. En s'exerçant un peu et en bougeant ses doigts sur les trous, Kawou se rendit compte qu'il était capable de produire des sons différents, qui ressemblaient à un chant d'oiseau. À un moment, il entendit une sorte de miaulement dans les buissons. Son os percé à la main, il s'approcha et découvrit un bébé léopard qui le regardait avec des yeux effrayés.

Un nouvel ami

Le petit léopard était si joli avec sa fourrure grise et floconneuse, que Kawou eut envie de le prendre dans ses bras. Mais le bébé recula en tremblant de tous ses membres et en gémissant de peur. Sa mère était morte et il allait lui aussi mourir si quelqu'un ne s'occupait pas de lui. Kawou remit son os percé dans la bouche et siffla doucement. Le léopard coucha les oreilles et s'aplatit par terre, comme séduit par ce bruit. Kawou réussit à le prendre dans ses bras et à le caresser. Sa fourrure était la chose la plus douce qu'il eut jamais touchée.

Le léopard se laissa caresser un moment, puis il se mit à miauler désespérément. Kawou comprit qu'il devait avoir faim. Il attrapa un petit bout de viande de sivatherium, le mâcha longuement jusqu'à ce qu'il se transforme en une espèce de bouillie. Il cracha la viande dans sa main avant de la tendre au léopard. La petite langue râpeuse chatouillait la paume de Kawou qui se mit à rire. Il passa tout

floconneux : qui a l'aspect léger et duveteux de la neige

gémir : pousser de petits cris plaintifs

séduit : captive

cajoler : câliner

l'après-midi à jouer et à cajoler son nouvel ami qui adorait qu'on lui gratte le ventre et le sommet du crâne. Mais ce que le bébé aimait par-dessus tout, c'était quand Kawou soufflait dans son os percé. Les sons lui arrachaient des ronronnements de plaisir.

Le soir, Kawou retourna vers les arbres où habitaient les Australopithèques. Le bébé léopard le suivait comme s'il était sa mère. Lorsque les hommes-singes les virent arriver, ils poussèrent des cris et se mirent à faire des gestes menaçants. Ils ne voulaient pas du léopard avec eux.

Kawou essaya de leur expliquer que ce n'était qu'un bébé, mais ils refusèrent de l'écouter. Les léopards devaient vivre avec les léopards, pas avec les hommes-singes. Pourtant, Kawou refusait d'abandonner le petit orphelin et il préféra passer la nuit loin d'eux, dans un gros baobab, avec son nouvel ami blotti contre lui.

blotti : serré

Le lendemain matin, les Australopithèques avaient disparu. Kawou aurait pu essayer de suivre leurs traces, mais il savait qu'ils n'accepteraient jamais le léopard. Il décida donc de vivre sans eux. Il ne se sentait plus seul, à présent qu'il avait un bébé dont il devait s'occuper. Pendant quelque temps, il dut trouver de la nourriture pour deux, mais bientôt, le léopard fut assez grand pour chasser tout seul des petits rongeurs, des porcs-épics ou des lièvres, qu'il partageait avec Kawou. En deux saisons, le léopard était devenu assez grand pour s'attaquer à de gros mammifères comme les zèbres ou les impalas.

un impala : une espèce d'antilope

Kawou n'avait plus jamais faim, ni peur. Il mangeait la viande que ramenait le léopard. La nuit, il s'allongeait contre la chaude fourrure de son ami qui le protégeait des autres prédateurs. Parfois, lorsqu'il se sentait un peu seul, Kawou sortait l'os percé qu'il avait précieusement gardé et soufflait dedans. Le léopard, les yeux mi-clos, grognait doucement pour montrer son plaisir.

un prédateur : un grand animal carnivore capable de chasser un homme

La danse du léopard

Le léopard passait de plus en plus de temps à chasser dans la savane. Pendant ce temps, Kawou cherchait des herbes et des racines ou bien il s'exerçait à tailler des pierres pour découper la viande que ramenait son ami. Il essayait d'imiter les gestes de ses compagnons disparus, mais tant d'années s'étaient écoulées qu'il avait du mal à se souvenir. Un jour, alors qu'il était occupé à tailler une branche pour en faire à bâton à fouir, il sentit une présence près de lui. Il se dressa aussitôt, effrayé et inquiet. Une dizaine d'hommes l'observaient, des vrais hommes comme lui, des Homo habilis qui n'étaient pas couverts de poils, des hommes capables de marcher et de courir. Son cœur se mit à battre à folle allure et il résista à l'envie de se précipiter vers eux. Allaient-ils le rejeter, eux aussi, comme les hommes-singes ? L'un d'eux s'approcha de lui et se mit à lui parler. C'étaient des vrais sons articulés et non pas des grognements, mais les mots étaient différents de ceux que Kawou avait appris dans son enfance et il ne comprenait pas. Il se souvint du signe de paix et leva les mains vers le ciel. Soudain, il entendit un grondement furieux dans son dos et il reconnut la voix de son léopard. L'animal s'approchait en courant, prêt à attaquer ces étrangers. Les hommes se mirent à hurler de terreur et s'enfuirent à toutes jambes, talonnés par le léopard qui montrait les crocs. Aussitôt, Kawou saisit son os percé et lança un son bref et insistant. C'était le signal qu'il utilisait pour dire à son léopard de venir le rejoindre. L'animal s'arrêta net et fit demi-tour, avant de venir s'allonger aux pieds de Kawou.

Les étrangers s'arrêtèrent de courir pour considérer cette chose extraordinaire : un léopard qui obéissait à un homme. Ce qu'ils virent ensuite était encore plus incroyable. Kawou continua à souffler dans son os percé et l'animal commença à grogner doucement, les oreilles aplaties, en agitant sa queue, comme envoûté par les sons. Les hommes s'approchèrent en levant à leur tour les mains vers le ciel en signe de paix. Après avoir longuement examiné Kawou et le léopard, ils firent signe à Kawou de les suivre jusqu'à leur campement. Il fallait que le reste du clan voie ce prodige.

C'est ainsi que Kawou trouva un nouveau clan et fut adopté par une nouvelle famille. Le soir, après

être talonné : être suivi de très près

net : aussitôt

considérer : examiner

envoûté : enchanté

un prodige : une chose extraordinaire

s'évanouir : disparaître

le repas, il jouait dans son os percé et le léopard accourait du fond de la savane. Il traversait le campement en deux bonds gracieux comme s'il dansait, avant de s'évanouir comme un rêve, sous les yeux émerveillés du groupe. Kawou fut appelé « homme léopard » et son os percé devint un objet sacré. Des siècles et des siècles plus tard, les hommes racontaient encore l'histoire de l'homme léopard. Son os percé était conservé avec soin de génération en génération et certains descendants de Kawou apprirent à en jouer mieux que leur ancêtre. Mais plus personne, jamais, ne réussit à faire danser un léopard.

Laurence Schaack

Le secret du feu

Homo erectus

Illustré par Sylvie Eder

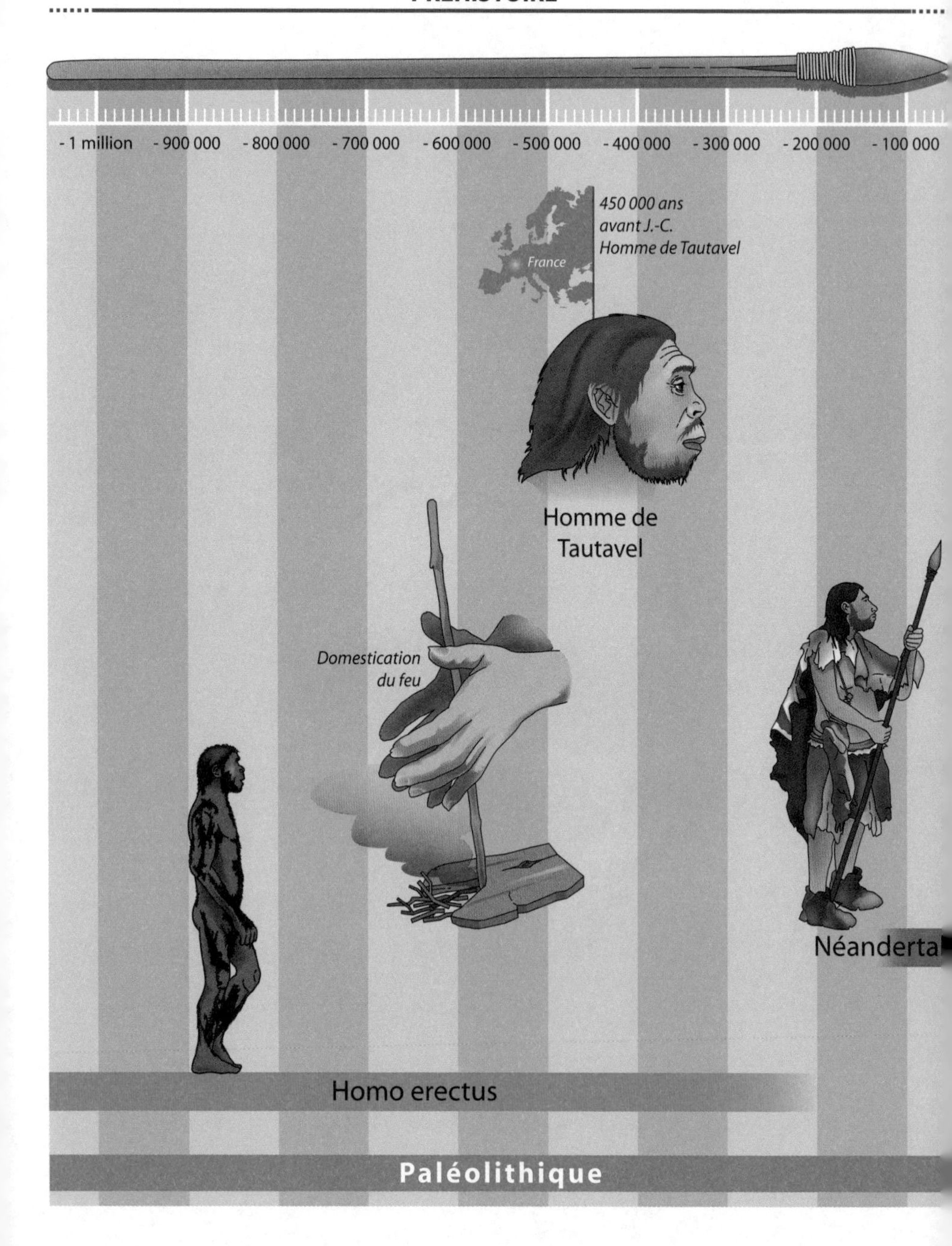
- 1 million
- 900 000
- 800 000
- 700 000
- 600 000
- 500 000
- 400 000
- 300 000
- 200 000
- 100 000
450 000 ans
avant J.-C.
Homme de Tautavel
France
Homme de
Tautavel
Domestication
du feu
Néanderta
Homo erectus
Paléolithique

Des jumeaux mal assortis

500 000 ans avant notre ère, les Homo erectus peuplent l'Europe. La tribu des jumeaux Mov et Tar s'est installée pour l'été près d'une rivière poissonneuse. Un beau matin, Mov décide d'aller pêcher. Il avance dans l'eau froide qui lui arrive aux genoux. Il s'approche sans bruit du rocher autour duquel tourne une grosse truite. Ses pieds se posent délicatement sur le sable qui tapisse le fond du ruisseau. Des feuilles de bouleau déjà jaunies flottent à la surface et Mov les écarte pour mieux voir le fond de l'eau. Ses gestes sont lents et mesurés, car le moindre mouvement brusque, le moindre bruit ferait fuir les poissons.

La pêche à mains nues demande beaucoup d'adresse, d'expérience et de patience. Malgré tous ses efforts, Mov n'a jamais réussi à attraper un poisson. Mais il sent qu'aujourd'hui la chance est avec lui. Un éclair argenté ondule sur les galets, dans l'om-

Homo erectus : « homme debout », apparu il y a 1,8 million d'années

tapisser : recouvrir

onduler : avoir un léger mouvement sinueux

bre protectrice du rocher. Mov dresse sa main au-dessus de l'eau, les doigts recourbés comme les serres d'un oiseau de proie et s'immobilise, prêt à se jeter sur la truite. Il inspire profondément…
À ce moment, une pierre heurte la surface de la rivière, avec un grand bruit. Une gerbe d'eau arrose Mov et il a juste le temps de voir sa truite fuir au loin. Il se retourne furieux et aperçoit sur la rive son frère Tar qui le fixe avec un sourire moqueur.
Furieux, dépité, Mov pousse un cri de rage.
« Mov était en train de pêcher ! Pourquoi Tar l'a-t-il dérangé ?
– Pêcher ? rétorque son frère en riant. Mov n'a jamais réussi à attraper un animal tout seul. Le seul capable de nourrir la famille, c'est Tar ! »
Mov est d'autant plus furieux qu'il sait que son frère a raison. Physiquement, les jumeaux se ressemblent comme deux gouttes d'eau, mais leurs caractères sont très différents. Mov est patient, calme et silencieux, tandis que Tar est toujours en train de courir, de rire et de crier.
Mov est incapable de chasser car, à plus de six pas, ses yeux ne font pas la différence entre un rocher et un lion. Mais il n'a pas son pareil pour tailler la pierre et il passe des heures à sculpter des bifaces bien tranchants et des racloirs dans les os et les silex. Tar, lui, est incapable de rester assis cinq minutes. Tout ce qu'il aime, c'est courir dans

un oiseau de proie : oiseau qui se nourrit d'animaux capturés vivants, rapace

une gerbe d'eau : éclaboussure

dépité : extrêmement déçu

rétorquer : répondre avec vivacité

un biface : une pierre taillée sur les deux faces servant d'outil

un racloir : outil qui sert à nettoyer les peaux de bêtes

les bois, grimper aux arbres et chasser. Malgré son jeune âge, il compte parmi les meilleurs chasseurs de la tribu de l'Aigle. Il en est très fier et il en profite pour se moquer de son frère aussi souvent qu'il peut.
Mov marche vers la rive et réplique :
« Tar ne sait pas pêcher. Tout ce qu'il sait faire, c'est se jeter sur un animal avec sa lance en poussant des hurlements. Jamais de la vie, il ne pourrait s'approcher d'une truite !
– Mov est sûr que c'était une truite ? se moque Tar. Et pas un bout de bois qui flottait dans l'eau ? »
Il éclate de rire. Les poings brandis, Mov court hors de l'eau, mais son frère s'enfuit en riant à perdre haleine.

brandi :
levé au-dessus de la tête

à perdre haleine :
sans reprendre son souffle

La flûte de Tar

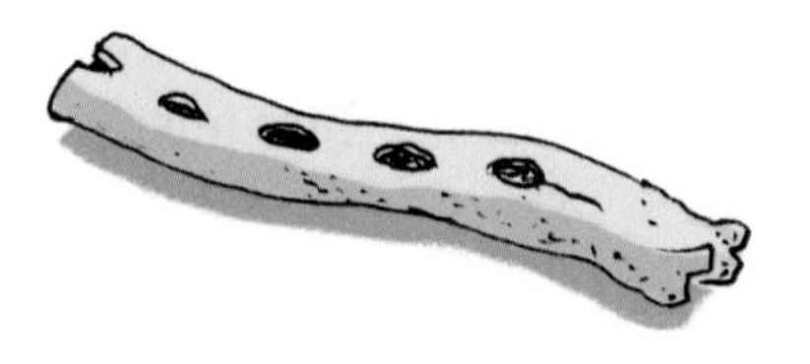

La voix de leur grand-père retentit depuis la clairière toute proche :
« Que les jumeaux arrivent ! La tribu s'en va. »
Mais les jumeaux n'entendent rien et ils continuent à se poursuivre, l'un riant, l'autre hurlant.
« Mov ! Tar ! »
Cette fois, le grand-père a crié et dans sa voix, on entend vibrer la colère. Les deux frères s'arrêtent net. Ils savent ce qui les attend s'ils n'obéissent pas. Le patriarche en a tellement assez de les entendre se chamailler qu'il a inventé une punition terrible. Il attache la jambe droite de l'un avec la jambe gauche de l'autre, de sorte qu'ils sont obligés de s'entendre, ne serait-ce que pour marcher. Et quand le grand-père est très en colère, il les attache aussi par les bras !
Mov et Tar baissent la tête et rejoignent leur famille. Leur père est en train de plier les peaux de cerfs qui ont servi de tente durant l'été. Depuis quelques jours déjà, les hommes et les femmes de

vibrer : trembler

le patriarche : vieil homme qui conserve son autorité sur ses descendants

se chamailler : se disputer pour des histoires sans importance

la tribu de l'Aigle se préparent à quitter la plaine où ils ont passé les beaux jours. L'hiver avance à grands pas. Les jours deviennent plus courts, les feuilles commencent à jaunir. Bientôt arrivera le grand vent du nord qui annonce le froid et la neige. Les hommes ne peuvent survivre dans la prairie recouverte de son manteau blanc. Ils y mourraient de froid et de faim. Ils sont obligés d'entreprendre un long voyage vers les grottes qui sont leur refuge d'hiver.

un refuge : un abri

La tribu avance lentement, sous la direction de Bouraï, le chef, qui a fait si souvent le voyage qu'il pourrait les guider les yeux fermés. Deux éclaireurs sont partis en avant, prêts à revenir en courant si le moindre danger menace. Les hommes portent leurs massues en bois et leurs couteaux, les tentes et les peaux de bêtes. Les femmes ont accroché autour de leur cou et de leurs épaules une multitude de paniers tressés et de calebasses dans lesquels elles entassent ce qu'elles trouvent le long du chemin : des champignons, des fruits, des racines, des graines, des herbes qui serviront de provisions durant les mauvais jours. Une fois arrivées à la grotte, elles les feront sécher.

guider : conduire

un éclaireur : personne qui marche en avant d'un groupe pour repérer d'éventuels dangers

une massue : un bâton dont l'extrémité est renflée servant à assommer

une calebasse : récipient fabriqué à partir d'une grosse courge qui a été vidée et séchée

Les enfants suivent en jouant et en courant après les papillons. Mov et Tar marchent loin derrière, tout seuls, car personne n'a envie de rester à côté d'eux et de supporter leurs disputes. Car les jumeaux trouvent toujours une raison de se fâcher : parce que l'un soulève de la poussière en marchant, parce que l'autre cache le soleil… Depuis qu'ils sont petits, ils passent leur temps à se battre et à s'insulter.

Le soir, au moment où Bouraï donne l'ordre à la tribu de s'arrêter, les éclaireurs reviennent tout excités. À une demi-journée de marche, ils ont repéré un vieux bison solitaire et faible, sans doute abandonné par son troupeau. Un gros bison, juste avant l'hiver, quelle chance ce serait ! Bouraï décide qu'ils iront chasser à l'aube. La tribu s'installe autour du feu pour manger. Pendant le repas, les hommes imaginent un plan de chasse. Dans la terre à côté du foyer, un des éclaireurs dessine avec son doigt l'endroit où il a vu le vieux bison. Il dessine la rivière, les rochers, les collines. Les hommes hochent la tête, les femmes sourient et les enfants tapent dans leurs mains en chantant :
« Bi-son ! Bi-son ! »
Quand ils ont fini de manger, ils se racontent les légendes des temps anciens. Tar sort une vieille flûte en os. Son grand-père lui a donné cette flûte

un foyer :
l'endroit ou l'on fait un feu

en lui racontant l'histoire d'un sorcier léopard, qui vivait il y a très longtemps, très loin de leur pays, de l'autre côté de la grande mer. La flûte est si vieille qu'elle est fendue par endroits et seul Tar arrive à en tirer des sons. Lorsqu'il joue, le silence se fait, même les enfants oublient de brailler. La tribu s'endort, le sourire aux lèvres, en rêvant d'un gros bison en train de mijoter sur le feu.

brailler : crier très fort

mijoter : cuire longtemps à petit feu

Les outils de Mov

Dès que le jour est levé, la tribu se prépare à la chasse. Assis à l'écart, Mov se met au travail. Il a étalé ses outils par terre, devant lui. Il a une omoplate de bisons dont il se sert comme enclume, un percuteur en pierre dure, bien arrondi qui tient juste dans la paume de sa main, pour entamer l'écorce du silex, un coup-de-poing pour tailler la pierre. Il dispose aussi de plusieurs os de différentes tailles pour limer les silex. Il a mis plusieurs années pour tout rassembler. Grâce à son talent et à ses outils, il se sent utile à la tribu et il n'a pas honte d'avoir de mauvais yeux, car les chasseurs lui font des compliments sur ses pierres taillées. Son sac d'outils en peau de cerf est son bien le plus précieux et il ne s'en sépare jamais.

Mov pioche dans le tas de silex et choisit une belle pierre de la taille d'une main. À l'aide d'un percuteur, il frappe l'enveloppe blanche et crayeuse qui entoure le noyau dur du silex. L'enveloppe finit par se fendre et une pierre d'un gris sombre apparaît. Mov se saisit alors de son coup-de-poing pour attaquer le silex. Des éclats tranchants et épais volent autour de lui. Quand le cœur de la pierre est bien

une enclume :
bloc très solide sur lequel on peut travailler les matériaux

un coup-de-poing :
biface

un percuteur :
outil qui sert à fracturer les roches

l'écorce :
partie la plus tendre qui enveloppe le silex

affûté, Mov ponce délicatement le tranchant avec de l'os. Puis il fait tourner la pointe et admire son œuvre. Elle n'est pas très grande, mais elle est parfaitement équilibrée. Jamais il n'a taillé une pointe aussi effilée, aussi tranchante. Elle pourrait pénétrer la peau la plus coriace. Cette pointe est si belle que Mov décide de l'offrir à son grand-père.
Pendant qu'il taillait, les hommes et les enfants les plus grands ont achevé leurs préparatifs. Pour cerner le bison et le diriger vers les lances des chasseurs, il faut beaucoup de monde. Quelques femmes les accompagnent pour aider à encercler l'animal, découper la carcasse et fumer la viande. Les autres femmes restent au campement avec les vieillards et les enfants.
Le vieux bison est en train de somnoler au milieu des herbes. Les chasseurs se déploient deux par deux en cercle, en évitant de se placer sous le vent de l'animal pour ne pas être repérés. Ils avancent accroupis dans les hautes herbes qui les dissimulent. Ils sont aux aguets, prêts à se dresser en hurlant dès que Bouraï leur donnera le signal. Les jumeaux se sont postés face au bison, avec le groupe des meilleurs chasseurs, ceux qui vont affronter l'animal en face et tenter de le tuer du premier coup. Tar s'est placé à l'avant dans l'espoir d'être le premier à toucher le bison. Il sait qu'il doit viser le cou ou la bosse, sinon la sagaie risque de rebondir sur l'os.

effilé :
mince et allongé

coriace :
épais et dur

cerner :
entourer de toute part

somnoler :
être à moitié endormi

être aux aguets :
épier, être à l'affût

une sagaie :
arme à long manche terminé par une pointe

Tar remarque tout à coup une petite fente traversant la pointe de sa sagaie.
« La pointe de Tar est fêlée, chuchote-t-il. Mov doit lui en prêter une.
– Non, murmure son frère. Tar n'a qu'à tailler ses silex lui-même.
– Mov doit en donner une ! insiste Tar. Elles ne lui servent à rien, il ne sait pas viser.
– Mov a dit non… »

agile comme un félin : souple

Mais Tar, plus agile qu'un félin, se jette sur son frère pour saisir son sac. Mov se débat, son frère lui écrase la main. Son cri de douleur résonne dans la prairie. Aussitôt alerté, le bison dresse la tête, gratte la terre de ses sabots avant de s'éloigner au galop. Les chasseurs se mettent à poursuivre l'animal, mais celui-ci a beau être vieux, il fonce à vive allure. Un des hommes qui se trouve sur sa route, tente de l'arrêter, mais son arme ne fait qu'effleurer la peau de l'animal. Le bison, fou de rage, charge et renverse l'homme avant de disparaître au loin. Les chasseurs n'ont plus qu'à rentrer, tête basse, maudissant celui qui a crié.

effleurer : toucher à peine

Bouraï aide l'homme qui s'est fait renverser par le bison à se relever. Son bras est cassé et il souffre beaucoup. Bouraï ne desserre pas les dents de tout le retour. Il est furieux contre les jumeaux. À cause d'eux, le bison s'est enfui et un homme a été blessé.

Le feu perdu

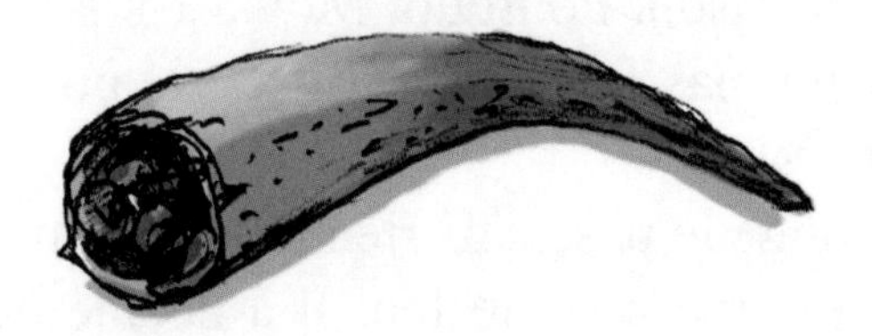

Le lendemain, les hommes de la tribu de l'Aigle reprennent leur route vers les grottes d'hiver. Ils longent un cours d'eau bordé par des forêts aux feuilles rouges et oranges. Le vent devient chaque jour plus froid et ils ont hâte d'arriver.

Mov est chargé de s'occuper du feu pendant le voyage. Il porte des braises incandescentes dans une corne d'aurochs et il doit veiller à ce qu'elles ne s'éteignent pas. C'est une lourde responsabilité. En effet, les Homo erectus sont capables de maîtriser le feu pour empêcher qu'il ne dévore tout. Ils savent comment l'alimenter et le protéger pour qu'il ne meure pas, mais ils sont incapables de le faire naître. Le feu que possède la tribu vient d'un arbre foudroyé, découvert il y a plusieurs années et pendant tout ce temps, il a été soigneusement entretenu.

Tar est furieux. Normalement, c'était son tour de porter le feu. Mais Bouraï le punit parce qu'il a fait mal à Mov et qu'il a saboté la partie de chasse. C'est injuste pense Tar et, pour se venger, il donne des coups de coude à Mov tout en marchant.

avoir hâte : être pressé

incandescent : lumineux sous l'effet de la chaleur, ardent

aurochs : ancêtre du bœuf

foudroyé : sur lequel la foudre s'est abattue

saboter : faire échouer

« Pourquoi c'est Tar qui est puni ? C'est Mov qui a fait fuir le bison. Pourquoi Mov a-t-il crié ? Tar ne lui a même pas fait mal. Mov a crié pour que Tar soit puni. »

Mov allonge le pas, sans rien répondre, très fier de porter la corne avec le feu. Il a décidé de ne pas écouter les provocations de son frère. Mais Tar ne s'arrête pas, au contraire !

une provocation : une parole qui pousse l'autre à réagir violemment

« Mov est une mauviette. Mov pleurniche comme une petite fille dès qu'il a mal. Mov ne sera jamais un chasseur, jamais il ne sera un homme… Mov est inutile, Mov est une charge pour Tar et pour toute la tribu. Mov n'est pas le même que Tar, Mov est faible et jaloux…

une mauviette : quelqu'un de faible et sans courage *(langage familier)*

– Que Tar se taise, grince Mov entre ses dents.

– Mauviette ! Mauviette ! » chante Tar en sautillant autour de son jumeau.

Mov le repousse du bras, mais Tar continue à chantonner. Mov commence à perdre patience et il lui envoie un coup de pied. Son frère riposte en le repoussant brutalement. Mov trébuche contre une pierre, perd l'équilibre et tombe avec la corne dans le cours d'eau. Il pousse un hurlement de rage et se redresse aussitôt. Mais c'est trop tard : le feu est noyé.

riposter : contre-attaquer

trébucher : perdre l'équilibre

Ce soir-là, la tribu installe son campement en silence. Il n'y aura pas de feu pour cuire les aliments, pas de feu pour se réchauffer et éloigner les dangers de la nuit. La soirée est triste, sans rires ni flûte. Mov et Tar mangent à l'écart, personne n'a voulu s'asseoir à côté d'eux. Dès qu'ils croisent le regard de quelqu'un, ils ont tellement honte qu'ils baissent les yeux.

Comme à chaque fois que survient un événement grave, Bouraï a envoyé les plus jeunes se coucher et les anciens, enroulés dans des peaux de bêtes pour se tenir chaud, se sont assis autour de lui.

« Cette fois-ci, c'en est trop. Les jumeaux deviennent insupportables », déclare Bouraï. « Il faut les punir sévèrement. »

Les anciens hochent la tête. Chacun d'entre eux a quelque chose à leur reprocher : on ne peut pas compter sur eux, ils ne songent qu'à créer des histoires, plus ils grandissent, plus ils deviennent agressifs et ils donnent le mauvais exemple aux petits…

« Il faut leur donner une bonne leçon », poursuit Bouraï. « Puisqu'ils ont perdu le feu, il faut qu'ils en ramènent un autre à la tribu. »

Les anciens approuvent mais le grand-père des jumeaux s'exclame :
« L'hiver arrive ! En cette saison, il n'y a jamais de feu qui tombe du ciel, jamais de feu de prairie…
– Ils feront demi-tour et remonteront vers l'ouest, rétorque Bouraï. Là, ils devraient trouver d'autres tribus qui se dirigent aussi vers leurs refuges d'hiver. Ils pourront demander du feu.
– Ce n'est pas possible, proteste le grand-père. Ils ne vont pas survivre à un si grand voyage. La neige arrivera avant qu'ils nous aient rejoints.
– La tribu ne peut pas passer l'hiver sans feu, rétorque sévèrement Bouraï. Mêmes les enfants savent cela. »
Le grand père se dresse et s'écrie :
« Mais cela revient à les abandonner. Les animaux abandonnent ceux qui sont trop faibles ou trop malades. Pas les hommes. Les hommes doivent s'entraider, s'ils veulent survivre.
– Les jumeaux ne sont ni faibles, ni malades, réplique Bouraï. Tar est un excellent chasseur et Mov taille les silex mieux que personne. À eux deux, ils sont tout à fait capables de se nourrir. Demain, la tribu poursuivra sa route vers les grottes et les jumeaux iront de l'autre côté, chercher le feu. »
Les anciens sont d'accord avec Bouraï. Le grand-père des jumeaux ne peut rien ajouter. Il doit accepter la décision du conseil.

La colère de Tar

Tête basse, les jumeaux ont écouté en silence la décision des anciens. Ils n'ont pas protesté, car ils savent qu'elle est juste. La phrase tourne dans leur tête: interdiction de rejoindre la tribu tant qu'ils n'auront pas trouvé le feu. Ils regardent leurs compagnons s'éloigner et ils ont le cœur tellement serré que, pour une fois, ils n'ont pas envie de se disputer.

avoir le cœur serré :
être très triste

Puis ils se mettent en route en direction du soleil couchant, dans l'espoir de croiser une tribu qui voudra bien partager son feu avec eux. Les premiers jours, ils marchent vite, en guettant des traces d'hommes et en récoltant sur leur passage des fruits, des feuilles et des noix pour se nourrir.
Bientôt, le goût de la viande leur manque et Tar décide de chasser. Les yeux fixés au sol, il cherche des traces d'animaux. Il remarque des crottes de lièvre encore fraîches, puis une touffe d'herbe écrasée, une petite empreinte de pattes dans la terre…

Il suit la piste sans faire le moindre bruit et il finit par distinguer la forme d'un animal caché dans un fourré. Le lièvre s'est arrêté dans un buisson plein d'épines, mais Tar s'en moque. Sa tunique de peau de cerf le protège des piquants. Vif comme l'éclair, il se jette sur le fourré, saisit le lièvre par le cou et serre jusqu'à ce que l'animal cesse de se débattre.

cesser : arrêter

Il revient vers Mov en brandissant fièrement le lièvre par les oreilles. Mov l'attend au pied d'un arbre et le regarde avec un drôle d'air.

« Que se passe-t-il ? » demande Tar.

Mov désigne l'endroit où Tar a posé son sac avant de pister le lièvre et explique :

pister : suivre la piste d'un animal

« Sans le vouloir, Mov a marché dessus, il a entendu un craquement... »

Il tend son poing fermé et ouvre les doigts. À l'intérieur, se trouve la vieille flûte en os, cassée en morceaux. Tar laisse tomber le lièvre en poussant un hurlement.

« La flûte de Tar ! »

Il bondit sur son frère et le bourre de coups de poing jusqu'à ce que Mov saigne du nez. Quand sa colère retombe, Tar commence à dépiauter son lièvre. Puis il mord à belles dents dans la chair encore tiède. Mov le regarde sans rien dire, l'eau à la bouche. Il sait que ce n'est pas la peine d'en réclamer. Tar est furieux et ne lui donnera rien. Bientôt, Tar s'interrompt et lance la carcasse d'un air dégoûté.

dépiauter : enlever la peau

« Mov peut finir. La viande crue, ça n'a pas de goût. »
Il a raison. La viande crue est difficile à mâcher, elle a une saveur fade et écœurante. Brusquement, saisis de tristesse, les deux frères se souviennent des repas autour du feu, de la bonne odeur de viande grillée, du petit bruit que fait la graisse chaude quand elle tombe sur les braises…
« Est-ce que Tar croit qu'on arrivera à retrouver le feu ? » demande Mov.
Tar se pose la même question et il n'a rien à répondre. Il ne se sent pas bien. Il ne sait pas ce qui pèse le plus sur son estomac : la perte de sa flûte ou la viande crue. Et puis, il a décidé de ne plus adresser la parole à son frère. Il s'allonge sur les feuilles mortes, enroulé dans sa peau de cerf. Mov se couche à côté de lui. Le vent de la nuit s'est levé et les feuilles sont humides. Ils finissent par s'endormir, recroquevillés dans leurs peaux, blottis l'un contre l'autre pour se réchauffer.

recroquevillé : être replié sur soi-même

Une pierre mystérieuse

transi de froid : gelé

détrempé : complètement mouillé

Voilà des jours qu'il pleut à verse. Mov et Tar, affamés, transis de froid, mangent des mousses et des glands. La nuit, ils cherchent abri dans les arbres pour échapper à l'humidité et aux animaux. Ils ont trouvé des traces d'hommes, quelques jours plus tôt, des marques de feu, des empreintes dans la terre, des éclats de silex… Autant de signes qu'une tribu est passée par là peu de jours auparavant.
Mais la pluie a tout effacé et leurs espoirs ont disparu dans la boue. Tar avance en tête, il s'est débarrassé de sa peau de cerf détrempée qui pesait lourd et ne servait plus à rien. Il marche d'un bon pas malgré la fatigue et la faim. Mov traîne derrière en grognant entre ses dents. Son sac d'outils et de silex lui pèse et il se sent si fatigué que chaque pas dans la terre boueuse lui demande un effort. Il appelle son frère.
« Tar doit aider Mov. Le sac est trop lourd. »
Tar hausse les épaules et répond sans s'arrêter :
« Mov n'a qu'à l'abandonner.
– Sans outils, Mov ne peut pas tailler. Et si les

jumeaux n'ont plus de couteaux, ils ne pourront plus se nourrir.
– Que Mov se débrouille.
– Mov a besoin d'aide ! » insiste Mov.
Tar le regarde en fronçant les sourcils et finit par répondre :
« Tar est fort et il est d'accord pour aider Mov la mauviette. »

froncer les sourcils : montrer que l'on n'est pas content

Il rit de sa plaisanterie et empoigne le sac qui contient les outils et la réserve de silex. Il repart d'un bon pas, malgré la boue qui remonte jusqu'à ses mollets. Mov se remet lui aussi en route, mais plus lentement. Ils marchent depuis tant de jours qu'il a perdu courage. Il commence à penser qu'ils ne retrouveront jamais le feu, qu'ils vont mourir de faim et de froid, abandonnés comme des animaux dans la forêt. Le vent est devenu piquant, il porte cette légère odeur qui annonce l'arrivée de la neige.

empoigner : saisir à pleine main

piquant : mordant

Perdu dans ces sombres pensées, Mov n'a pas remarqué que son frère avait disparu. Il l'appelle. Personne ne répond. Inquiet, Mov crie plus fort. Il entend un grondement au loin. Que se passe-t-il ? Tar l'a-t-il abandonné ? Ou bien est-ce qu'il lui est arrivé quelque chose ?
L'angoisse lui serre le cœur et il oublie la fatigue. Il court à toutes jambes vers le bruit continu

sombre : triste

un grondement : un bruit sourd

qu'il entend droit devant lui. Le grondement devient assourdissant et Mov a l'impression qu'on lui écrase les tympans. C'est alors que débouchant sur une clairière, il découvre la plus haute cascade qu'il ait jamais vue. Tar est là, assis sur un lit de galet, les yeux fixés sur la masse d'eau qui dévale la montagne en rugissant. Mov est si content d'avoir retrouvé son frère qu'il se jette sur lui et le serre dans ses bras.
Tar recule en riant et s'écrie :
« Mov est malade ? »
Mais le bruit est si assourdissant qu'il n'entend même pas le son de sa propre voix.

reprendre haleine : reprendre son souffle

étinceler : briller d'un vif éclat

Mov s'assoit à côté de son frère pour reprendre haleine. La pluie a cessé et le soleil fait une timide apparition. En dépit d'un vacarme insoutenable, le spectacle de la cascade se révèle d'une magie hypnotique. Les yeux de Mov glissent alors vers une pierre de couleur grise qui brille sur la plage de galets où ils sont assis. C'est une pyrite de fer, une sorte de pierre qu'il n'a jamais vue. Il y en a beaucoup d'autres, qui forment un étincelant tapis. Il en ramasse une qui tient bien dans sa main, et se dit qu'il pourra essayer de la tailler plus tard. Mov pense à son sac et le cherche des yeux.
« Le sac ? » demande-t-il en hurlant dans les oreilles de son frère.

Avec un grand sourire moqueur, Tar lui désigne le lac où la cascade vient s'écraser en bouillonnant d'écume.

« Tar l'a jeté ? » demande Mov, sans y croire.

Au rire de son frère, il comprend que ses précieux outils ont bel et bien été engloutis. Tar s'est vengé de la perte de sa flûte. Une fureur terrible s'empare de Mov. Il lance un cri de rage et se jette sur Tar en brandissant la pyrite qu'il tient en main. Mais Tar est sur la défensive, il renvoie son frère d'un coup d'épaule et le bloque à terre. D'un geste vif, il saisit son couteau et l'abat vers la main de Mov qui tient toujours la pierre. Le couteau de silex heurte la pyrite. Une petite étincelle se produit, bondit dans l'air et retombe sur une touffe d'herbes sèches. L'herbe se met à fumer, un bref instant et finit par s'éteindre. Tar s'immobilise, sidéré parce qu'il vient de voir : durant un bref instant, il y a bel et bien eu un feu !

être englouti : disparaître au fond de l'eau

être sur la défensive : être prêt à répondre à une attaque

sidéré : stupéfait

L'esprit de la cascade

Tar, stupéfait, a relâché son frère. Il touche du doigt le petit tas d'herbes et relève un index noir de cendres. Il n'a pas rêvé, les herbes se sont consumées. Il rassemble fiévreusement quelques herbes sèches, puis arrache la pierre des mains de Mov qui n'a rien vu et le regarde sans comprendre. Tar frappe son silex contre la pyrite qu'il a posé à côté des brindilles. Rien ne se produit. Tar recommence, plus fort cette fois-ci. L'étincelle bondit et retombe sur le tas d'herbes, provoquant une minuscule flamme qui meurt dans un filet de fumée.

Les deux frères ébahis contemplent le petit tas de cendres et échangent un regard émerveillé. Le cœur battant, ils recommencent une nouvelle fois, avec un tas d'herbes un peu plus gros et quelques brindilles. L'étincelle jaillit, embrase les brindilles, avant de s'éteindre faute de combustible. Les deux frères échangent un nouveau regard. La même pensée les envahit et les suffoque de joie : ils savent comment faire le feu, le feu qui donne du goût à la nourriture, le feu qui donne de la lumière et de la chaleur, le feu qui éloigne les bêtes féroces !

se consumer : brûler lentement et complètement

embraser : mettre le feu

du combustible : de la matière qui peut brûler

suffoquer : causer une grande émotion

Ils se dressent en même temps, commencent à pousser des grands cris et à taper des pieds et des mains. Tar s'arrête tout à coup, observe la pyrite et montre du doigt la plage de galets et de pierres. Mov comprend ce que veut dire son geste : toutes ces pierres brillantes que l'eau a apportées, ils vont pouvoir les ramener à leur peuple ! Ils vont pouvoir rentrer avec bien mieux qu'une petite braise rougeoyante. Désormais, les hommes sont vraiment maîtres du feu puisqu'ils sont capables de le créer quand ils en ont envie. La tribu n'aura plus jamais froid, ni faim, ni peur.

Tar contemple la cascade et se dit qu'elle doit abriter un esprit puissant qui leur a amené ces pierres de très loin. Le bruit de l'eau ressemble à une voix puissante. Que dit cette voix qui gronde sans fin ? Peut-être parle-t-elle fort pour les empêcher de se disputer ? C'est sans doute un esprit bienveillant, puisqu'il leur a fait cadeau de ces pierres.
Mov pense la même chose que son frère et il se rappelle ses outils qui reposent au fond du lac. Il se dit que c'est un cadeau qu'ils ont fait à l'esprit de la cascade. Finalement, c'est une bonne chose que son frère les ait jetés à l'eau. Sans cela, ils n'auraient peut-être jamais trouvé la pierre de feu. Tar le regarde, les yeux brillants de bonheur et le serre dans ses bras. Les jumeaux n'ont pas besoin

de se parler pour se comprendre. Ils savent désormais qu'ils sont comme ces deux pierres qu'il faut frapper pour qu'une étincelle jaillisse. L'esprit de la cascade leur a donné la pyrite et le secret du feu pour qu'ils comprennent enfin qu'ils ont besoin l'un de l'autre.

Laurence Schaack

Un crime dans la grotte

Illustré par Marianne Maury-Kaufmann

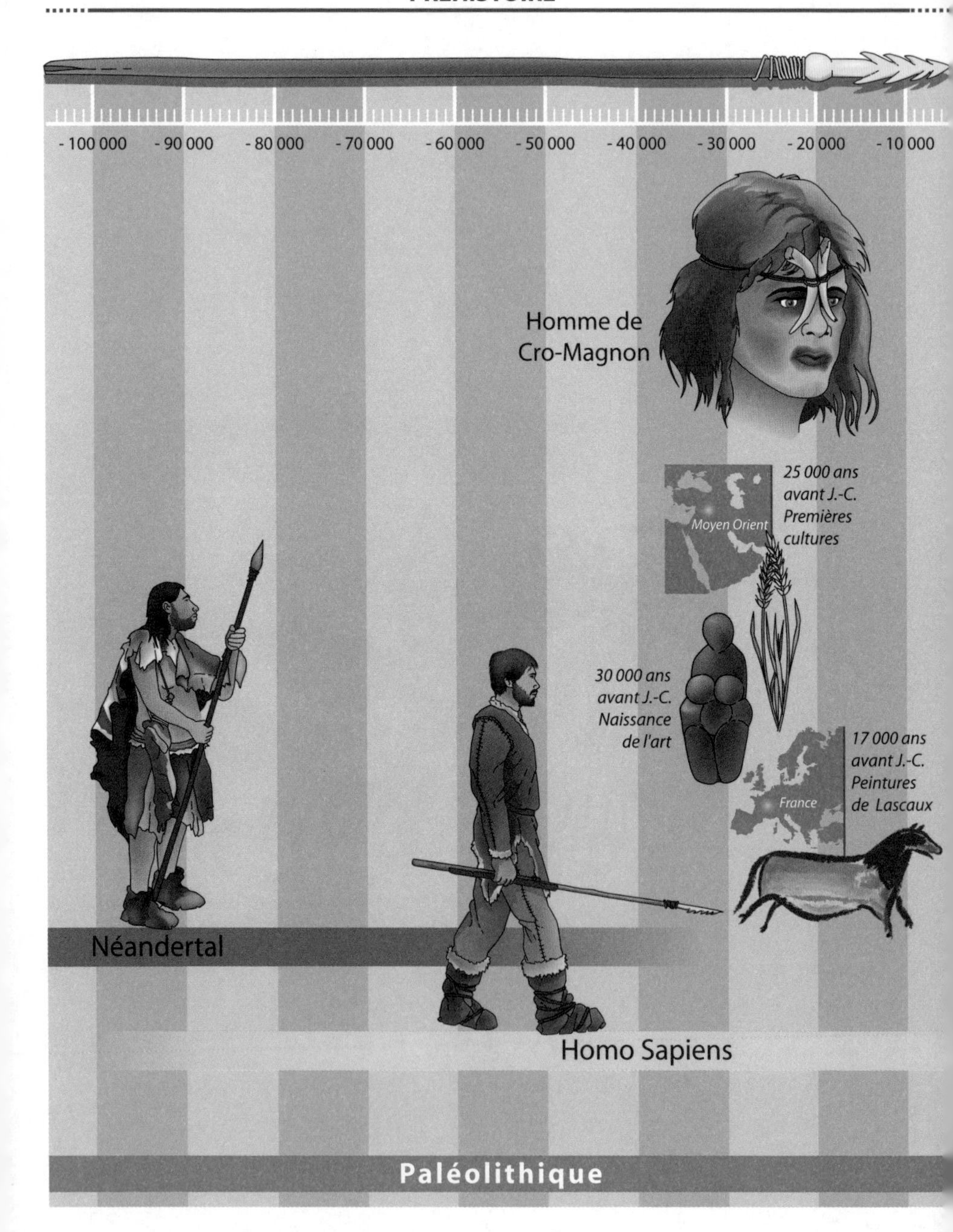
- 100 000
- 90 000
- 80 000
- 70 000
- 60 000
- 50 000
- 40 000
- 30 000
- 20 000
- 10 000
Homme de Cro-Magnon
25 000 ans avant J.-C. Premières cultures
Moyen Orient
30 000 ans avant J.-C. Naissance de l'art
17 000 ans avant J.-C. Peintures de Lascaux
France
Néandertal
Homo Sapiens
Paléolithique

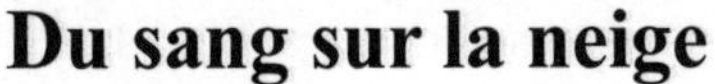

Du sang sur la neige

35 000 ans avant notre ère, le climat du centre de l'Europe est si froid que les mammouths peuplent les grandes plaines. Sans leur viande, leur fourrure et leur graisse, les hommes de Cro-Magnon ne pourraient survivre…

Ce matin-là, alors que l'hiver vient à peine de commencer, les hommes du clan de Pzar se mettent en route dès le lever du soleil. Ils laissent derrière eux les montagnes recouvertes de neige et se dirigent en trottinant vers la plaine. La veille, depuis les hauteurs où se trouve leur grotte, ils ont vu un nuage de neige s'élever près du fleuve. Ils ont compris que les mammouths étaient de retour. Quelques chasseurs sont allés repérer le terrain et ils sont revenus en disant que le troupeau se dirigeait vers

un clan : une tribu formée par un groupe de familles

en trottinant : en marchant à petits pas rapides

un défilé : un passage étroit entre deux montagnes

une sagaie : un court javelot que l'on peut lancer très loin

une pyrite : sorte de pierre de couleur grise utilisée pour produire des étincelles

un défilé entre deux falaises et qu'ils avaient bloqué le passage avec de gros rochers.
Les mammouths sont disséminés dans la plaine, loin des falaises. Les chasseurs s'éparpillent dans la plaine pour former un arc de cercle dans le dos des mastodontes. Ils tiennent tous à la main une sagaie et une torche éteinte. Lorsqu'ils ont formé un parfait éventail derrière les mammouths, l'un des chasseurs allume sa torche avec une pyrite, un silex, un peu de graisse et de la bouse séchée. Il allume la torche de son voisin avec la sienne. Bientôt toutes les torches sont allumées et les chasseurs se dressent en poussant des cris et en agitant furieusement les bras. Un barrissement terrible monte

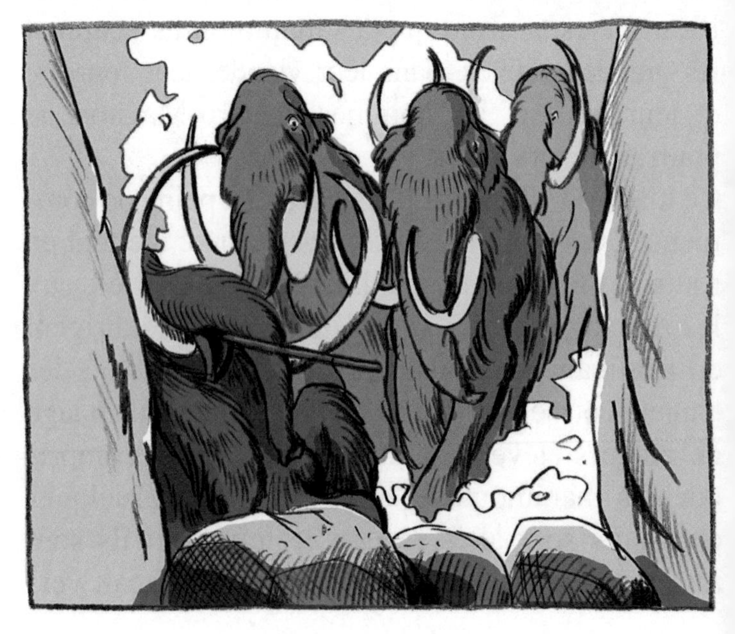

de la plaine. Les grosses têtes laineuses frémissent de crainte, les longues défenses recourbées s'agitent dans le vent. Les mammouths commencent à galoper droit devant eux et font trembler la terre comme un tambour. Ils foncent vers le fond de la vallée que les éclaireurs ont bloqué avec des rochers. Les femmes les plus agiles se sont réfugiées sur une corniche, armées de lances pour achever les animaux mourants.

Juché sur la plus haute pierre, Ron, l'homme fort du clan de Pzar attend les mammouths de pied ferme. Deux ronds de peinture ocre, symbole du feu, entourent ses yeux bleus. Son nez et son front sont zébrés de traits noirs, destinés à amadouer l'Esprit du Mammouth. Sa main droite tient un grand bâton à tête de lion, l'emblème de son pouvoir de chef. À ses pieds repose le propulseur. C'est une arme redoutable, assez puissante pour tuer net un mammouth à vingt pas de distance. Lorsque Ron le saisira, les hommes sauront que la chasse a vraiment commencé et qu'il est temps de s'attaquer aux animaux.

juché : être placé en hauteur

de pied ferme : avec énergie, résolument

amadouer : se concilier les faveurs, éviter de rendre hostile

En tête du troupeau, une vieille femelle arrive en galopant, sans comprendre qu'elle va bientôt se retrouver bloquée par les rochers. Ron pousse un cri, saisit son propulseur et lance la première sagaie. La femelle fouette l'air de sa trompe et pousse un barrissement étourdissant. Ron en profite pour

lancer sa sagaie dans la gueule ouverte. L'animal pousse un cri de douleur, bientôt étouffé par les flots de sang qui jaillissent de sa gorge. Une deuxième, puis une troisième sagaie clouent la femelle au sol.
Coincés entre les rochers et les torches fumantes, des dizaines de mammouths, terrifiés, se piétinent violemment les uns les autres. Ron ne cesse de tirer. Ses sagaies volent et son propulseur semble animé de fureur.
Du haut du rocher où elle observe la chasse, une jeune fille saute vers Ron. Son nom est Kosa et elle est la nièce du chef. Elle s'accroche à son bras et tente de lui arracher son propulseur.
« Arrête ! » lui crie-t-elle. « Tu en as tué bien assez. »
Mais Ron la repousse sans l'écouter, comme s'il prenait plaisir à ce massacre. Il poursuit ses tirs alors que les autres chasseurs sont déjà en train de nettoyer leurs armes dans la neige. Voilà des saisons qu'ils n'ont pas vu autant de mammouths et ils sont heureux. Ils vont pouvoir rentrer au campement la tête haute, fiers de leur chasse. À présent le clan de Pzar n'a plus à redouter les cruautés de l'hiver. Dans leur grotte, personne ne manquera de viande à griller, de graisse pour les lampes, de peaux et de fourrures pour avoir chaud, d'os pour fabriquer mille sortes d'outils et de défenses pour construire les huttes d'été.

une hutte : petite cabane construite avec de la terre, des branches, des feuilles

Ron a rejoint les autres chasseurs et les femmes chargés de morceaux de viande. La tribu au complet reviendra le lendemain pour prendre tout ce qu'il est possible de récupérer sur les carcasses. Kosa marche derrière eux, le cœur troublé et mécontent. Pourquoi Ron a-t-il tué autant de mammouths ?

Il a laissé derrière lui plus de cadavres qu'on ne peut compter. Le clan n'a pas besoin d'autant de bêtes et il n'y aura jamais assez de bras pour tout transporter jusqu'au campement. Les cadavres inutiles seront dévorés par les charognards. Kosa n'arrive pas à oublier l'étendue de neige souillée de sang, les barrissements et les yeux terrifiés des mammouths. Après le dégoût, c'est la crainte qui la saisit. Et si le clan avait commis une grave offense envers l'Esprit du Mammouth ?

un charognard : un animal qui se nourrit d'animaux morts

D'étranges visiteurs

Une grande agitation règne au campement du clan de Pzar. Les enfants sautent sur les chasseurs, sans même leur demander comment s'est déroulée la chasse.

« Nous avons eu de la visite ! Des Faces Longues !

– Des Faces Longues ? » répète Kosa incrédule.

Il arrive parfois que les hommes de Cro-Magnon, au hasard de leurs déplacements, croisent leurs cousins Néandertaliens, au visage allongé et au corps trapu. Mais ceux-ci sont de moins en moins nombreux et de plus en plus craintifs. Les rencontres deviennent rares et durant ses dix années de vie, Kosa n'a jamais rencontré un homme de Néandertal, même si elle en a souvent entendu parler.

Les enfants sont si excités qu'ils parlent tous en même temps. Pour se faire entendre, Ron est obligé de les menacer de son bâton de commandement. La tête de lion sculptée en haut du bâton représente le pouvoir sacré du chef et les petits se taisent respectueusement.

« Laissez parler Ati », ordonne Ron.
Ati est l'homme-sorcier du clan. Il sait comment parler aux Esprits et connaît les herbes qui guérissent. Son vieux visage ridé se couvre de peintures et des dizaines d'amulettes et de talismans pendent à son cou. Ati est trop âgé pour participer à la chasse et c'est lui qui veille sur le campement durant les absences de Ron.

une amulette : un petit objet à qui on attribue un pouvoir protecteur (de la maladie, du mauvais sort…)

un talisman : petit objet auquel on attribue des pouvoirs magiques

« Combien étaient-ils ? demande le chef au sorcier.
– Trois. Deux hommes et une femme, répond Ati.
– Que voulaient-ils ? Vous ont-ils menacés ?
– Au contraire ! Ils avaient l'air misérables et effrayés. Je crois qu'ils cherchent une grotte pour s'installer.
– Ils sont affreux, s'exclame un petit garçon qui n'arrive plus à tenir sa langue. Ils n'ont pas de front, pas de menton, leurs dents sont énormes, leurs yeux sont enfoncés dans le crâne, et ils ont une horrible bosse au-dessus de leurs sourcils.
– Et leurs peintures sur le visage, pouah ! renchérit une petite fille. Elles sont si bizarres qu'on dirait qu'ils ne savent pas peindre. Quand à leurs vêtements, ils sont horribles. Mal taillés, pas cousus… Le pire, c'est leurs cheveux : ils les laissent pendre comme des poils. »
Elle a l'air si dégoûtée que Kosa éclate de rire.
« Quel dommage que je n'aie pas été là ! Tu me donnes vraiment envie de les voir !

un guérisseur : personne qui guérit grâce à des plantes ou des dons particuliers

répugnant : qui inspire le dégoût

– J'espère que tu les as chassés ! s'écrie Ron en direction du vieux guérisseur.

– Et pourquoi donc ? rétorque Ati. Je n'avais aucune raison de le faire, ils n'étaient pas agressifs. Nous leur avons donné un peu de viande fumée. Ils avaient l'air d'avoir très faim. »

Ron frappe la terre avec son bâton dans un geste de colère.

« Personne ne doit s'approcher des Faces-Longues, s'écrie-t-il. Ce sont des bêtes répugnantes, ils ne connaissent pas de lois et n'honorent aucun Esprit. Ils volent les enfants des hommes pour les manger…

– C'est faux ! » interrompt Ati.

Il est si vieux que ses membres tremblent sans arrêt, mais sa voix est aussi forte et ferme que celle d'un jeune chasseur. Un grand silence se fait dans la tribu. L'homme fort et l'homme guérisseur sont les deux personnes les plus importantes de leur groupe. Hélas ces deux hommes ne s'aiment pas et s'affrontent souvent.

« J'ai partagé un été avec les Faces Longues, poursuit Ati. Ils m'ont recueilli et soigné alors que je m'étais cassé une jambe en chassant. Ils honorent leurs morts aussi bien que nous, connaissent plantes et animaux mieux que nous et aiment les enfants autant que nous. Même s'ils sont différents de nous, ce sont des hommes, pas des bêtes. »

Ron, furieux d'avoir été contredit, lève son bâton de commandement vers Ati. La tête de lion sculptée frémit dans l'air. Les spectateurs retiennent leur souffle. Leur chef va-t-il enfreindre la première loi, celle qui interdit de porter la main sur un membre du clan ?

enfreindre : ne pas respecter, transgresser

Ati ne recule pas et ne baisse pas les yeux. Ron hésite et se reprend. Reposant son bâton, il lance un regard haineux au vieux sorcier.

La grotte des Esprits

Les jours suivants sont consacrés à ramener les restes des mammouths et à les préparer. Il faut découper les morceaux de viande, les fumer et les mettre à sécher. La graisse pour les lampes et la moelle osseuse si savoureuse sont stockées dans des outres étanches. Les os qui fournissent les outils et les tendons qu'on utilise pour lier sont nettoyés. La peau laineuse bien chaude est raclée, tirée, lavée, séchée, taillée…

Kosa, en voyant ses compagnons s'activer sur les carcasses, ne peut s'empêcher de penser aux autres cadavres qui pourrissent dans la neige. Un dégoût la saisit et elle décide de rejoindre Ati dans la grotte des Esprits. En hiver, quand la neige l'empêche de ramasser les herbes pour ses potions, le sorcier dessine sur les murs des grottes des animaux et des signes pour communiquer avec les Esprits de la Terre. Kosa passe beaucoup de temps avec lui et Ati a entrepris de lui apprendre les secrets de la peinture.

Pour parvenir à la grotte sacrée, il faut franchir un long tunnel qui mène jusque dans le ventre de la montagne. Après une longue marche dans le noir,

la moelle : substance molle et grasse qui se trouve à l'intérieur des os

stocké : mis en réserve

une outre : sac en peau destiné à contenir un liquide

Kosa aperçoit la lueur tremblotante des lampes à graisse qui éclairent la grotte.
« Que l'Esprit te protège, Ati.
– Que la paix soit avec toi, Kosa. »
Ati est en train de préparer les couleurs. Devant lui, sont disposés de petits sacs en peau remplis de poudres colorées : différentes sortes d'ocres rouges et marron, des argiles blanches et des charbons taillés comme des fusains. Dans des godets en os de mammouth, Ati a préparé de la graisse de cerf et de la colle de bouleau pour servir de liant. Il mélange les ingrédients en entonnant un chant sacré. Les bracelets d'ivoire ornant ses bras tintent en rythme. Sur une pierre, près d'un crâne d'ours, trône une petite pyrite. Kosa se rappelle son histoire : c'est la première pierre-à-feu, celle qui a donné la lumière et la chaleur à leurs ancêtres.
Pendant qu'Ati invoque les Esprits, elle examine les parois de la grotte. La plupart sont déjà recouvertes de peintures. Sur l'une d'elles, ils ont peint des mains et des yeux en hommage à l'Esprit du Ciel qui s'est uni avec celui de l'Eau pour créer les hommes. Sur une autre paroi, ils ont tracé des figures géométriques, des lignes et des points qui racontent la légende de la création du monde. Il ne leur reste plus qu'à peindre les Esprits de la Terre et des animaux, cerfs, mammouths, bisons et chevaux sauvages, qui leur permettent de survivre.

un godet : très petit récipient

les ingrédients : les différents composants

invoquer : demander de l'aide aux esprits

examiner : observer attentivement

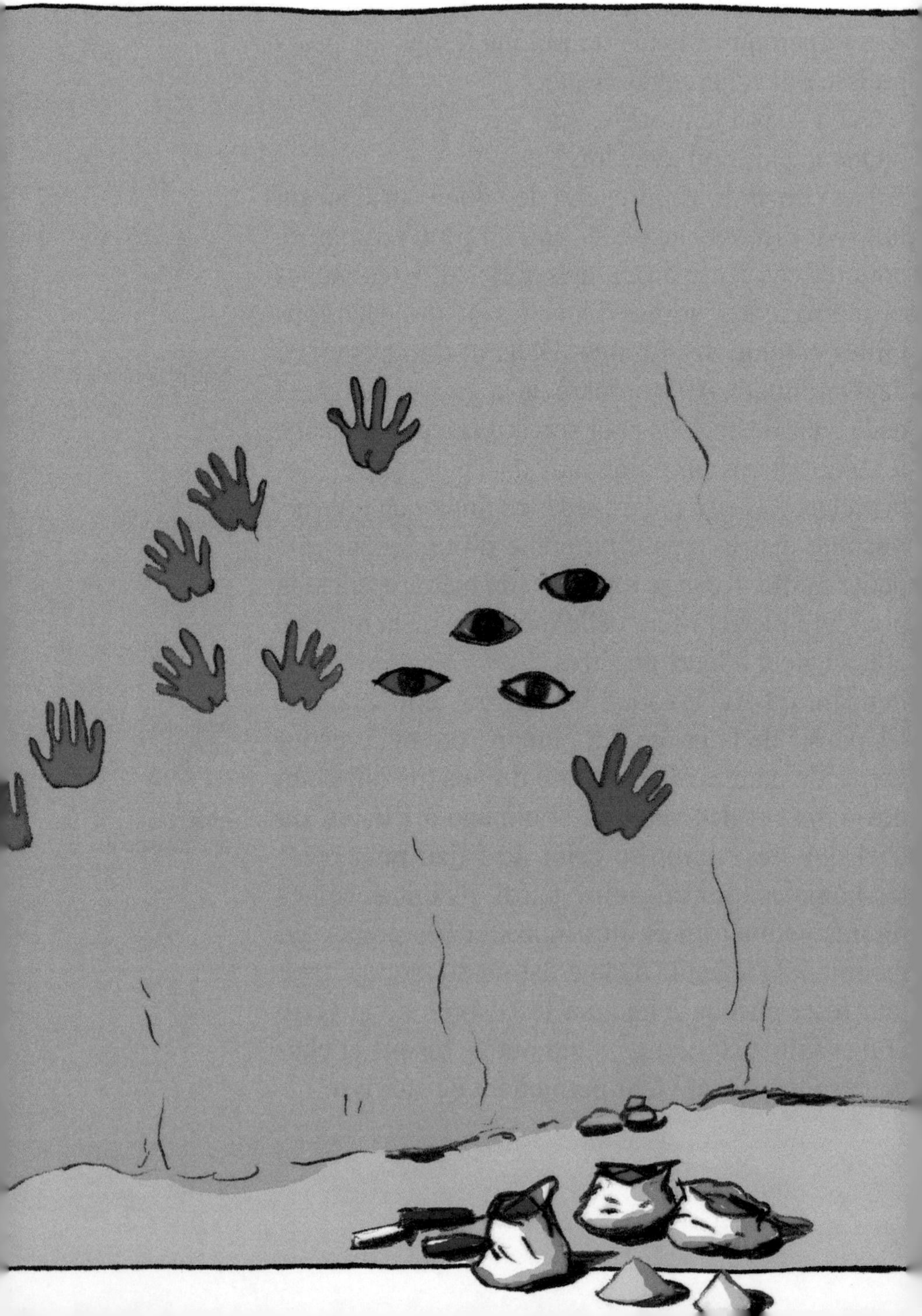

Ati a fini de préparer ses peintures et il est en train d'examiner la paroi qu'il va peindre. Il la parcourt du bout des doigts pour se familiariser avec ses trous et ses fissures. Kosa attend la fin de son exploration pour lui parler de ce qui la tracasse :

être tracassé : se faire du souci

« Ati ? murmure-t-elle. J'ai peur que mon oncle ait offensé l'Esprit du Mammouth. Il a tué tant de mammouths que je n'avais pas assez de doigts pour compter les cadavres. Je l'ai supplié de s'arrêter. Mais il ne m'a pas écoutée.
– Ron a tort et tu as raison. Notre chef aime trop verser le sang. Il est mauvais de massacrer pour le plaisir. Pour nous réconcilier avec l'Esprit, nous allons dessiner un mammouth dansant dans la prairie. »
Il tend un charbon taillé à Kosa, mais la fillette secoue la tête et baisse les yeux.

Une dispute fatale

« Qu'est-ce qui t'arrive Kosa ? s'étonne Ati. Tu ne veux pas m'aider à appeler le grand Mammouth ? Tu n'as pas envie de peindre aujourd'hui ? »
Kosa hésite. Elle sait que sa demande peut sembler étrange, mais elle déteste l'idée de mentir, surtout à son vieil ami.
« En montant à la grotte, explique-t-elle, j'ai vu de la fumée dans la montagne. Ce doit être le campement des Faces Longues. J'ai tellement envie de savoir à quoi ils ressemblent… Si je vais les voir, tu ne diras rien à Ron ? »
Le vieux guérisseur sourit.
« Ton esprit est curieux et tes yeux veulent tout voir. C'est pour cela que tes dessins sont si beaux. Va voir les étrangers, mais tiens-toi à l'écart. Et rejoins-moi avant la nuit ! »
Kosa s'éclipse sans demander son reste. Ati demeure dans la grotte. Assis près du feu, il médite en fixant la paroi qu'il a décidé de peindre. Puis se sentant enfin prêt, il commence à tracer la silhouette du mammouth. Son morceau de charbon vole sur la paroi, sa main dessine d'une seule traite et sans s'arrêter, comme guidée par l'Esprit du Mammouth. Il est si concentré qu'il ne remarque pas que quelqu'un est entré dans le tunnel. Une silhouette s'approche de lui si près qu'Ati entend le bruit d'une respiration.

s'éclipser : s'en aller discrètement

sans demander son reste : sans insister

méditer : se préparer en réfléchissant longuement

d'une seule traite : sans s'interrompre

« Kosa ? » demande-t-il sans se retourner.

Personne ne répond. Ati tourne la tête. Dans la pénombre, il distingue une haute silhouette d'homme qui tient à bâton à la main.

« Que veux-tu, Ron ? » demande Ati, courroucé.

Quand il peint dans la grotte sacrée, il ne supporte la présence que d'une seule personne : Kosa. Nul ne l'ignore et nul ne s'aventure dans la grotte aux Esprits en dehors des cérémonies.

une cérémonie : célébration solenelle d'un événement

« Mon fils a de la fièvre, déclare le chef. Donne-moi une tisane.

– Plus tard, répond Ati en reprenant son morceau de charbon. Je suis occupé…

– Maintenant ! aboie Ron. Je veux une tisane tout de suite.

– J'ai plus urgent à faire, Ron. Kosa m'a raconté la chasse. Ta cruauté a offensé l'Esprit du Mammouth. Voilà pourquoi ton fils a de la fièvre. Il ne sert à rien que je lui concocte une tisane. Je dois d'abord apaiser le grand Mammouth, sans quoi d'autres malheurs bien plus graves vont s'abattre sur nous, par ta faute ! »

Ron, suffoquant de colère, agite son bâton à tête de lion.

« Par ma faute ? Espèce de vieux fou ! Tu ne sais pas de quoi tu parles ! Grâce à ma force et à mon courage, la tribu n'a jamais été aussi prospère. »

prospère : riche

Ati ricane et hausse les épaules. Certes, Ron compte parmi les meilleurs chasseurs de la tribu et depuis

qu'il est devenu chef, la tribu n'a jamais eu faim.
« Je t'ordonne de me donner une tisane pour mon fils » hurle Ron.
Mais Ati continue à dessiner, sans lui prêter attention. Une fureur incontrôlable s'empare du chasseur. Il lève son bâton à tête de lion et frappe de toutes ses forces sur la tête du vieillard qui lui tourne le dos. Qu'a-t-il fait ? Un tremblement le saisit. Il sait qu'il vient de commettre l'irréparable.
Pris d'une brusque impulsion, il se rue hors de la grotte et dévale la montagne. Lorsqu'il arrive au campement, il se met à hurler :
« Ati est mort ! Les Face Longues l'ont tué... »

dévaler : descendre très vite une pente

Une nouvelle amie

Kosa s'est postée sur un rocher qui surplombe le camp des Faces Longues. Allongée dans la neige, elle observe sans faire de bruit ce qui se passe en dessous d'elle. Les Néandertaliens se sont installés près d'un rocher qui fait saillie au-dessus d'une étroite bande de terre. Ce piètre abri ne les protège ni du froid, ni de l'humidité. Ils sont peu nombreux, à peine une vingtaine, rassemblés autour d'un feu. Ati n'a pas menti. On les sent misérables et à bout de forces. Leur campement baigne dans le silence et la tranquillité. Kosa scrute leurs visages, allongés, avec des yeux enfoncés et des mâchoires énormes. Toutefois, ils n'ont pas l'air méchants. Ni idiots. En dépit de leur apparence lourde et maladroite, leurs gestes se déploient avec mesure et précision. Ils communiquent d'une façon étrange : ils utilisent les gestes plutôt que la parole.

faire saillie : être en surplomb

piètre : médiocre, peu utile

Kosa les observe un long moment jusqu'à ce que le soleil soit caché par de gros nuages. Les Faces Longues se réfugient sous le rocher pour se préserver du froid. D'où elle se trouve, Kosa ne peut plus les voir et elle décide de rentrer. Elle se lève, fait demi-tour et se met à bondir de rocher en rocher pour se réchauffer. Soudain, elle pousse un cri de surprise : devant elle, se tient une petite fille Face Longue qui semble paralysée de peur. Elle serre contre elle un panier en osier comme si c'était son bien le plus précieux.

Face à face, immobiles, les deux fillettes se contemplent, aussi effrayées l'une que l'autre. Au bout d'un moment, l'étrangère tend la main vers son panier et Kosa s'approche avec curiosité. L'inconnue sort du panier un bébé lièvre au pelage aussi blanc et duveteux que des flocons de neige. Il est si menu qu'il tient dans sa main. Kosa s'approche et remarque alors qu'une petite attelle en bois retient l'une de ses pattes.

se contempler : se regarder longuement

une attelle : pièce de bois qui permet de maintenir immobile un membre cassé

« D'où vient ce lièvre ? » demande Kosa.

La fillette sursaute en entendant le son de sa voix et recule de quelques pas. Visiblement, elle ne comprend pas un mot de ce que lui dit Kosa.

« Tu l'as trouvé et tu l'as soigné ? Ati dit que vous autres, les Faces Longues, vous êtes de grands guérisseurs et que vous connaissez les animaux et les plantes mieux que nous… »

Elle a parlé d'une voix douce et l'inconnue semble rassurée. Elle se rapproche assez près pour que Kosa puisse caresser la tête du petit orphelin. Elle

poursuit avec toute la politesse et le respect dont elle est capable :
« Oh toi dont je ne connais pas le nom… Que les Esprits t'accompagnent, toi qui sauves les bébés. Que la paix soit sur toi qui protèges la vie. »
L'inconnue semble comprendre et sur son visage apparaît quelque chose qui ressemble à un sourire. Elle répond dans sa drôle de langue qui ne semble pas articulée, puis elle remet le bébé lièvre dans son panier.
Les deux fillettes se font face, en silence, ne sachant comment faire pour communiquer. Elles se sourient.
Les yeux de Kosa s'attardent sur le visage étrange, les bijoux et les vêtements si différents de tout ce qu'elle a vu. Elle examine le panier en osier qui sert de berceau au lièvre. Les brins de différentes couleurs forment des frises et des dessins. Le tressage s'avère si fin et si serré qu'il est certainement aussi étanche qu'une outre en peau. Kosa n'a jamais vu un panier si bien fait, si joli. Elle se dit que personne dans son clan ne saurait en tresser un semblable.
Comme si elle avait deviné ses pensées, la fillette lui tend l'objet. Kosa réalise que c'est un cadeau et elle cherche quoi offrir en échange. Elle retire de son cou sur le petit sac où elle garde ses amulettes. Elle hésite entre une dent de renne sculptée par son

une frise : une bande de couleur

étanche : qui ne laisse pas passer l'eau

père, une petite pierre jaune qui lance des reflets brillants dans la lumière et une pierre-à-feu. Elle décide finalement d'offrir son plus précieux trésor : la pierre jaune.
« Tiens », dit-elle, « je l'ai trouvée au fond d'un ruisseau. Elle ne sert à rien, mais je la trouve très jolie. Je suis sûr qu'elle porte chance. »
Kosa voudrait entraîner sa nouvelle amie vers la grotte sacrée pour lui montrer ses belles peintures, mais la fillette montre le ciel qui se couvre de gros nuages gris. La neige va bientôt tomber. Elle salue dans sa langue et s'éloigne en serrant contre elle son bébé lièvre. Kosa la regarde partir en se disant qu'elle vient de rencontrer sa première amie Face Longue.
Elle se met à courir, le panier sur sa tête pour se protéger des gros flocons qui tombent dru. Il est effectivement parfaitement étanche et ses cheveux restent secs. Lorsqu'elle arrive près du campement, elle s'arrête et tend les oreilles. Normalement, elle devrait entendre des voix, des chants, des cris… Elle se met à trembler malgré elle. Ce silence ne présage rien de bon. Quelque chose de grave vient d'arriver.

Un dessin suspect

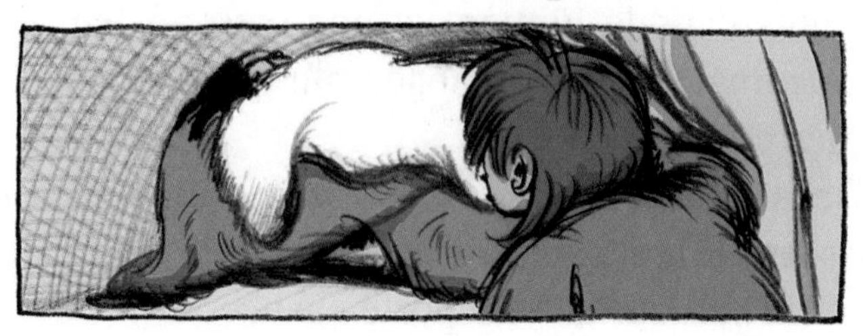

Lorsqu'elle écarte les peaux de mammouth qui obstruent l'entrée, Kosa manque s'évanouir. Le corps d'Ati repose près de l'entrée, allongé sur une fourrure. Son visage disparaît sous une mare de sang. Les hommes du clan de Pzar forment un cercle autour du corps sans vie. Ils échangent des regards consternés, inquiets. Que vont-ils devenir sans lui ? Qui les soignera ? Comment vont-ils faire pour parler avec les Esprits ? Qu'est-il arrivé à leur homme guérisseur, le plus sage, le plus savant d'entre eux ?

obstruer : boucher

Kosa, surmontant chagrin et dégoût, s'agenouille auprès du corps. Elle caresse doucement le front de son vieil ami. Les larmes brouillent son regard.

« Que lui est-il arrivé ?

– Les Faces Longues l'ont tué », lâche une femme.

Kosa se dresse, comme piquée par un taon. L'image du bébé lièvre de son amie surgit dans son esprit.

un taon : grosse mouche

« Les Faces Longues ? C'est faux, s'écrit-elle, c'est impossible. Jamais ils ne feraient une chose pareille. C'est un mensonge !

– Tais-toi ! »
La voix de Ron résonne comme le tonnerre dans la grotte pétrifiée. Il s'approche de Kosa d'un air menaçant et poursuit :
« Ce sont les Faces Longues qui ont commis ce crime. Ati l'a dit lui-même : ils cherchaient un abri. Ils ont dû repérer notre grotte sacrée, ils ont trouvé Ati à l'intérieur et l'ont tué. »
Kosa aimerait crier, hurler que Ron ment, qu'elle a observé les Faces Longues et qu'ils ne sont pas comme on le dit, mais une boule d'angoisse et de tristesse lui noue la gorge. Elle s'effondre devant le cadavre du sorcier et se met à sangloter.
« Nous devons nous venger ! poursuit Ron. Nous allons trouver les Faces-Longues et nous allons leur faire payer leur crime. »
Quelques cris lui répondent. Mais la plupart des hommes de Pzar sont si abasourdis qu'ils ne trouvent pas la force de crier.
« Tu as raison, Ron, lance une voix. Mais avant de punir les Faces Longues, nous devons préparer Ati pour son voyage vers les Esprits. »
Lorsque le soir arrive, la tribu allume un grand feu au centre de la grotte. Le corps d'Ati repose sur une peau de cerf. Il est couché sur le côté, les jambes repliées, comme un fœtus. Les femmes ont nettoyé son corps et les traits de son visage sont si détendus qu'on dirait qu'il se repose.

avoir la gorge nouée : être tellement ému que l'on ne peut plus parler

sangloter : pleurer à chaudes larmes

abasourdi : complètement stupéfait

un fœtus : un embryon dans le ventre de sa mère

la ramure : les bois d'un cerf

une stalagmite : colonne calcaire qui se forme sur le sol d'une grotte

prostré : recroquevillé

À côté de lui, le clan a déposé des fleurs séchées, des silex, des ramures de cerfs sculptées. Le bas de son corps est recouvert de poussière d'ocre, cette terre rouge qui symbolise le sang de la terre. La tribu s'assoit autour du feu et commence à chanter le nom d'Ati. Quelqu'un commence à racler deux coquillages l'un contre l'autre, un autre tape sur un crâne de mammouth avec un bois de cerf. Un troisième s'approche d'une stalagmite et la frappe à coup réguliers avec un os, provoquant un son mat et grave qui donne la chair de poule.
Kosa n'entend ni la musique, ni les chants. Elle reste prostrée à côté du corps de son ami. Elle ne cesse de lui parler, même si aucun mot ne sort de sa bouche.
« Oh Ati, pourquoi es-tu parti? Tu avais encore tellement de choses à m'apprendre... Comment pourrais-je continuer à peindre sans toi ? »
Les chants durent toute la nuit. Lorsque l'aube arrive, Kosa n'a plus de larmes pour pleurer. Une question tourne dans sa tête: qui a fait cela? Elle regarde les hommes préparer leurs armes pour aller punir les Faces Longues. Elle bouillonne de colère et d'impuissance. Ron lui lance un regard mauvais, si effrayant qu'elle s'élance hors de la caverne.
« Où vas-tu ? » crie le chef.
Mais Kosa s'enfuit sans répondre. Elle se hâte vers la grotte sacrée où elle a été si heureuse avec le

vieux sorcier. Elle allume une torche et contemple le dernier dessin d'Ati : il représente un grand mammouth qui s'élance dans la prairie, libre et heureux. Au sol, elle distingue les poudres répandues, les pinceaux dispersés qui lui donnent envie de pleurer. Que s'est-il passé entre ces murs ? Elle s'agenouille pour ranger ces objets qu'Ati aimait tant et remarque tout à coup un dessin rouge, tracé sur une pierre dans le sol, juste à côté de la natte couverte de sang.

une natte : un tapis formé de brins entrelacés

Cette peinture a une forme et une couleur inhabituelles. Kosa renifle le dessin, tourne autour pour mieux le voir. Cette couleur, cette odeur… Soudain, un éclair traverse son esprit. Avant de mourir, Ati a dessiné quelque chose avec son propre sang. Et ce quelque chose, c'est… une tête de lion, comme celle qui orne le bâton de Ron !

Elle se dresse d'un bond et file vers le campement où les hommes armés sont sur le pied de guerre. Kosa se jette sur Ron et lui arrache son bâton de commandement.

« C'est lui qui a tué Ati, s'écrie-t-elle en brandissant le bâton. Les Esprits ont donné assez de force à Ati pour désigner son assassin avant de mourir. Venez à la grotte et vous verrez ! »

Un homme s'approche, inspecte la tête sculptée et s'exclame :

« Elle a raison ! Il y a une trace de sang. »

La dernière rencontre

Le conseil des anciens a jugé Ron. Il a enfreint la première loi, la plus importante de toutes et il a été maudit. La tribu lui a laissé une journée et une nuit pour disparaître. Après quoi, personne ne le pourchassera, mais ceux qui le croiseront auront le devoir de le tuer.

être maudit : rejeté par la tribu

Les années ont passé. Plus personne n'a jamais entendu parler de Ron et personne ne l'a pleuré.
Kosa est devenue une femme guérisseuse sage et savante. Elle a continué à peindre des animaux pour célébrer les Esprits. Elle n'a jamais raconté à personne sa visite chez les Faces Longues.
À trente ans, elle est déjà grand-mère de trois beaux petits gaillards qui promettent de devenir de grands chasseurs. La tribu est de plus en plus nombreuse et compte de nombreux enfants, si bien que les Pzar sont obligés de beaucoup se déplacer pour trouver de nouveaux territoires de chasse.
Un jour de grande chaleur, alors qu'ils ont fait halte près d'un fleuve pour se désaltérer, une petite

célébrer : rendre hommage

se désaltérer : boire

troupe de Faces Longues apparaît à l'orée du bois. Les Néandertaliens tremblent de terreur en voyant ces grands hommes qui pointent leurs lances vers eux. Kosa intervient et repousse les armes.
« Donnez-leur à manger », ordonne-t-elle.
Impressionnées par la fermeté de sa voix, les femmes du clan tendent des provisions de viande séchée et des graines aux Faces Longues. C'est alors qu'une petite femme ridée s'approche de Kosa et tend la main. Kosa, surprise, reconnaît la pierre jaune qu'elle a offerte, il y a si longtemps, et comprend que cette pauvre vieille édentée n'est autre que la fillette au lièvre. Elle sourit et sort de ses affaires le vieux panier en osier. Il est usé et décoloré par l'usage, mais toujours étanche. Kosa l'utilise pour préparer les tisanes de ses malades. La femme Face Longue étire sa bouche sans dent dans une grimace qui ressemble à un sourire.
Les hommes de Pzar ont rempli leurs gourdes d'eau et ils reprennent leur route en direction des prairies où les attendent les troupeaux d'animaux sauvages. Kosa se retourne une dernière fois pour saluer les Faces Longues.
Leurs silhouettes disparaissent déjà dans la poussière que soulèvent les innombrables pieds du clan de Pzar.

l'orée : la bordure, la lisière

édenté : qui n'a plus de dents

Laurence Schaack

Le village de Doïna

Dieu à la faucille

Illustré par Bruno David

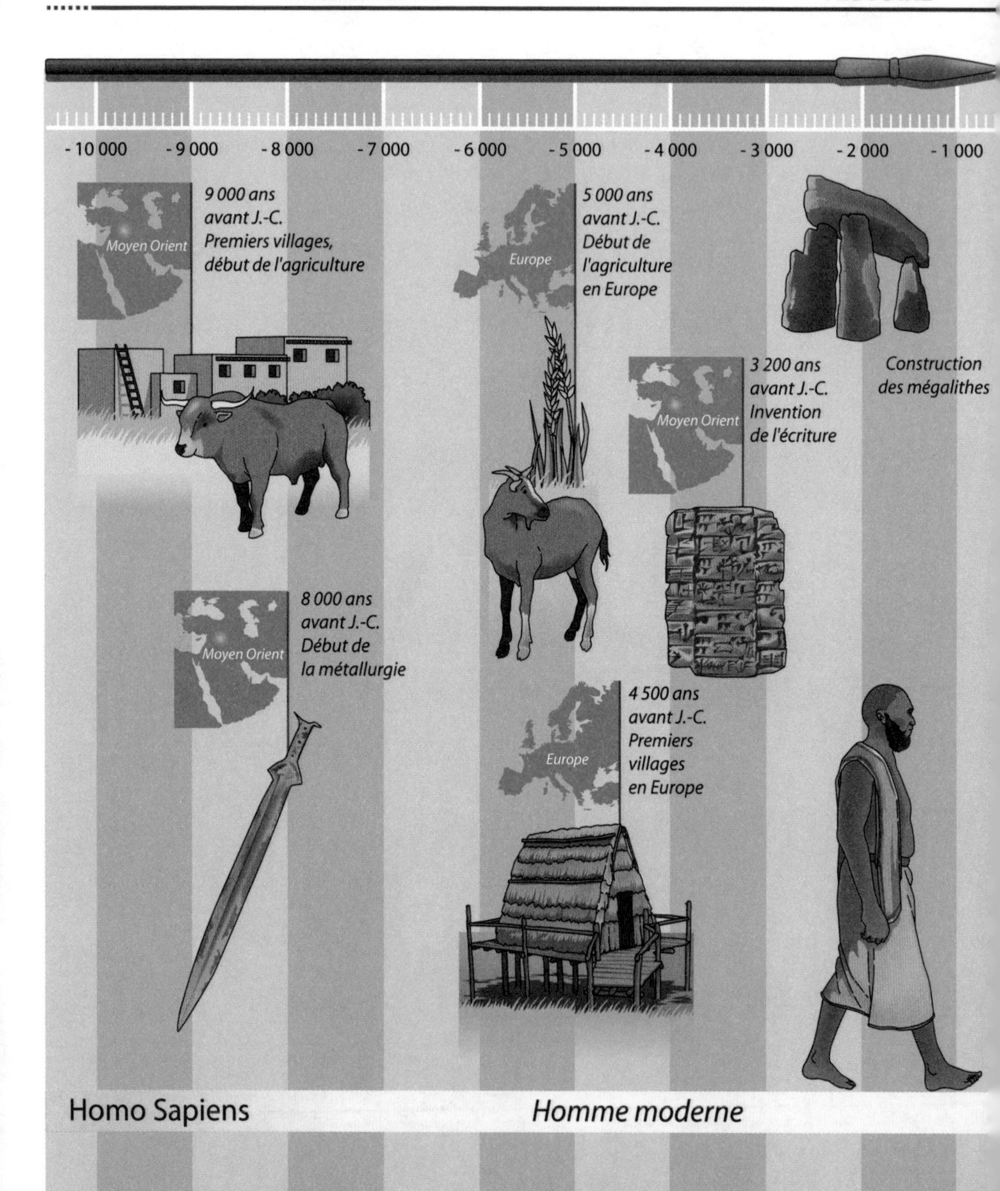
PRÉHISTOIRE
HISTOIRE
- 10 000
- 9 000
- 8 000
- 7 000
- 6 000
- 5 000
- 4 000
- 3 000
- 2 000
- 1 000
Moyen Orient
9 000 ans avant J.-C. Premiers villages, début de l'agriculture
Europe
5 000 ans avant J.-C. Début de l'agriculture en Europe
Construction des mégalithes
Moyen Orient
3 200 ans avant J.-C. Invention de l'écriture
Moyen Orient
8 000 ans avant J.-C. Début de la métallurgie
Europe
4 500 ans avant J.-C. Premiers villages en Europe
Homo Sapiens
Homme moderne
Paléolithique
Néolithique
Histoire

La tribu de l'Ours

Dans la plaine de Molec, la moisson s'achève. Les greniers sont plein de jarres remplies à ras bord de grains bien mûrs. Pour célébrer la fin des travaux aux champs, les habitants de Molec ont allumé un grand feu et ils ont fait rôtir un bœuf. Après le festin, les musiciens ont sorti flûtes et tambours. Des pichets circulent de main en main. Ils sont remplis d'une boisson à base d'orge fermenté qui délie la langue et remplit le cœur de joie. Les plaisanteries et les chansons jaillissent de partout. Pendant que les adultes festoient, les enfants jouent à se poursuivre autour des maisons. La seule à ne pas s'amuser est Doïna, l'aïeule de la tribu, qui s'est endormie malgré le vacarme.

une jarre : grand vase de terre cuite

un festin : un grand repas réalisé à l'occasion d'une fête

délier la langue : faire parler

jaillir : se faire entendre

une aïeule : une grand-mère, une très vieille personne

Allongée près du feu, elle ronfle doucement :
« Eh Doïna ! lui crie un jeune homme qui a bu quelques pichets en trop. Tu es encore en train de dormir dehors ? »
Il se tourne vers ses compagnons et ajoute :
« Vous avez remarqué que ces derniers temps, Doïna dort souvent sous les étoiles ?
– C'est vrai ! poursuit une femme. Quelle drôle d'idée de dormir dans l'herbe humide quand on a une belle maison bien chaude. Pourquoi fait-elle ça ?
– Elle est si vieille… répond une autre. Peut-être qu'elle est en train de perdre la tête. »

Personne ne sait exactement quel âge a Doïna, mais elle est si âgée qu'elle compte trente petits-enfants et quinze arrière-petits-enfants. Elle a vu naître tous ceux qui peuplent la plaine.
« Je ne perds ni la tête, ni l'oreille, réplique l'aïeule d'une voix chevrotante, et j'entends très bien ce que vous dîtes. Et si vous voulez savoir pourquoi je dors dehors, je vais vous le dire. Mais c'est une longue histoire. Êtes-vous prêt à l'entendre ?
– Oui ! s'écrient les villageois en chœur.
– Une histoire, une histoire ! » scandent les enfants en tapant dans leurs mains.
Personne, à Molec, ne raconte mieux les histoires que Doïna.

chevrotant : tremblant

scander : détacher les syllabes en rythme

L'aïeule s'installe confortablement près du feu, croise ses mains noueuses et fermes les yeux pour mieux se souvenir. Les flûtes et les tambours se taisent, les enfants viennent s'asseoir autour d'elle et Doïna commence son récit.

L'histoire que je vais vous raconter s'est déroulée à cette même période de l'année, quand le soleil tape fort et que les blés sont dorés. C'était il y a très longtemps, et à l'époque, je ne m'appelais pas Doïna et je n'habitais pas Molec. J'étais une fille du clan de l'Ours, et mon peuple vivait dans les montagnes, très loin d'ici. Chaque été, toutes les familles du clan se réunissaient pour fêter ensemble les Esprits de la Terre Mère. Nous nous retrouvions dans une plaine bien plus grande que celle de Molec et nous y installions nos tentes…

« Vos tentes ? Vous étiez des nomades ? demande un petit garçon tout surpris.

– Oui, répond Doïna, nous étions des nomades. Et alors ? Quel mal y a-t-il à cela ? Les nomades ne sont pas les sauvages que l'on dit. Et si tu m'interromps sans arrêt, je ne pourrais jamais finir mon histoire. »

un nomade : qui vit en se déplaçant d'un endroit à l'autre et n'a pas d'habitation fixe

Le garçon baisse la tête et l'aïeule enchaîne :

« Festins, danses et chants se succédaient. Les hommes se montraient leurs nouveaux outils et se racontaient leurs chasses, pendant que les femmes échangeaient les nouvelles et arrangeaient les mariages entre les familles. Pour nous, les enfants, c'était la plus belle période de l'année. Les adultes semblaient si contents de se retrouver qu'ils nous laissaient une paix royale. Nous courrions libres comme l'air à travers le campement où s'alignaient des tentes aussi nombreuses que les étoiles dans le ciel. Mais cette année-là, le rassemblement avait mal commencé. Nous ne savions pas encore que ce serait le dernier pour les familles de l'Ours…

une paix royale : complètement tranquille

Le grand départ

Les hommes avaient organisé une chasse à l'élan, afin de nourrir toutes ces bouches pendant les quelques jours que durait la fête. Hélas ! ils revinrent avec un misérable butin : quelques bêtes maigrelettes à peine de quoi contenter deux ou trois familles. Des disputes ont éclaté pour savoir à qui reviendrait la viande. Les gens ont commencé à se plaindre et partout les mêmes craintes : le gibier se faisait rare, certaines familles n'avaient pas mangé de viande depuis de longs mois.

Le soir, le conseil des chefs de famille s'est réuni et un grande palabre a eu lieu. Nous, les enfants, nous n'avions pas le droit d'y assister, mais je sentais que quelque chose de grave se préparait et je me suis cachée pour écouter.

un palabre : une longue discussion pour prendre une décision

« Les temps ne sont plus mêmes », ont dit les anciens. « Les hivers ne sont plus aussi froids et longs qu'autrefois. Voilà bien longtemps que les grands animaux que chassaient nos ancêtres ne sont plus là pour nous nourrir et nous vêtir. Nos territoires de chasse risquent bientôt d'être trop petits. Voyez les disputes qui ont éclaté aujourd'hui !

Si nous voulons vivre en paix et nourrir nos enfants, certaines familles doivent aller plus loin, franchir les montagnes qui nous entourent et chercher de la place ailleurs. »
Les anciens ont longuement discuté. Au petit matin, ils ont décidé des familles qui devaient quitter les territoires de leurs ancêtres. Celle du Castor, la mienne, en faisait partie. Bouleversés, nous avons dit adieu à nos parents et amis. Nous ne savions pas si nous pourrions nous revoir un jour.
Ma famille avait décidé de se diriger vers le soleil couchant. Là-bas, nous savions qu'il y avait la mer. Des voyageurs nous avaient raconté que grâce aux poissons et aux coquillages, on pouvait manger toute l'année.
Avant de partir, nous nous sommes rendus dans la grotte sacrée où reposaient depuis des générations les corps de nos ancêtres. Sur les parois, il y avait des peintures des grands animaux qui vivaient sur terre autrefois. Grâce à ces peintures, nous savions à quoi ressemblaient les mammouths et les bisons, car aucun d'entre nous, même le plus vieux de la famille, n'en avait jamais vus.
Ma peinture préférée représentait un grand mammouth dessiné au charbon. Il était si beau, si ressemblant qu'on avait l'impression de le voir galoper dans la prairie. Nous avons fait brûler de la résine pour honorer les esprits des morts, puis

de la résine : substance provenant des conifères, sapin, cyprès…

nous avons bouché notre grotte sacrée avec une grosse pierre. Pour laisser une trace de notre vie, notre chef a gravé sur cette pierre les hommes et les femmes de notre famille en train de danser avec les Esprits de la Terre Mère.
Ce fut notre dernière nuit dans la montagne et je me souviens que mon frère Ilar et moi avons dormi sous les étoiles car il faisait encore beau et chaud. Ilar était plus âgé que moi et nous étions inséparables. Nous étions allongés côte à côte, les yeux fixés sur le ciel couvert d'étoiles, et je lui ai demandé :
« Ilar, où sont les Esprits de tous ces mammouths qui sont morts ?
– Je suppose qu'ils sont devenus des étoiles dans le ciel, comme les Esprits des hommes qui vivaient avant nous.
– On dit que la lune peut faire descendre les Esprits pour qu'ils redeviennent des hommes. Si on priait très fort la lune, peut-être qu'elle voudrait bien faire revenir les mammouths et nous pourrions rester ici, tu ne crois pas ?
– Je ne crois pas, petite sœur. Les mammouths sont partis pour toujours, comme les bisons, et ceux que nos ancêtres appelaient les Faces Longues. »
Je me suis endormie, à la fois triste parce que je quittais la grotte de mes ancêtres et excitée par l'idée du grand voyage que nous allions faire.

Des couteaux de géants

un pic :
une montagne dont le sommet est pointu

hostile :
agressif, menaçant

scintiller :
briller

traquer :
pourchasser

les mollusques :
les coquillages

abrupt :
aux parois presque verticales

Notre voyage a duré des mois et des mois. Nous avons traversé des pics neigeux et des fleuves pleins de tourbillons. Nous avons affronté des loups et des tribus hostiles. Beaucoup de vieillards et de bébés sont morts. Finalement, alors que les beaux jours étaient revenus, nous avons découvert l'immensité de la mer qui scintillait sous le soleil. Elle était plus belle encore que je ne l'avais imaginée et elle tenait ses promesses : elle nous nourrissait. Nous avons vite appris à traquer les crabes, les coquillages, les mollusques et les œufs d'oiseaux dans les rochers. Nos harpons ramenaient des poissons si gros qu'ils pouvaient nourrir toute une famille.
Mais la côte n'était pas accueillante. Elle était balayée par le vent, bordée de rochers déchiquetés, de longues plages de sable ou de falaises abruptes. Nous avons alors décidé de nous enfoncer un peu dans les terres pour chercher un campement, c'est-à-dire un endroit avec de l'eau douce et du bois pour pouvoir monter nos tentes et faire du feu.
Un matin, la tribu s'est enfoncée vers l'intérieur des terres. Ilar et moi, nous marchions en tête, tout en bavardant. Brusquement, nous nous sommes figés au sommet d'une colline, saisis. À nos pieds,

une vaste étendue de blé s'étendait à perte de vue. Nous n'avions jamais vu rien de pareil : une terre avec rien que du blé bien serré, et non une de ces prairies où poussaient de-ci de-là quelques épis mélangés à d'autres céréales et à des herbes.
Notre famille a poussé des cris de joie et s'est jetée dans le champ. Les grains étaient dorés et mûrs, mais ils restaient fermement attachés à l'épi, contrairement au blé que nous connaissions et qui laissait le vent éparpiller ses grains. C'était un vrai régal, nous n'avions rien mangé d'aussi délicieux.
Soudain, une petite troupe d'hommes hurlants a surgi des bois. Ils agitaient des lances et des armes aux formes étranges. Ils ont commencé à nous menacer et à nous crier des insultes.
L'un d'entre nous a voulu riposter et a saisi son javelot, mais notre chef l'a calmé. Nous avions certainement offensé ces hommes. Il fallait comprendre ce qui s'était passé avant de se battre. Les étrangers nous ont ordonné de les suivre.

riposter : répondre à une attaque

un javelot : une courte lance

Cernés par les lances, nous sommes arrivés au sommet d'une colline où une autre surprise nous attendait. Des sortes de bifaces géants, hauts comme dix hommes mis l'un sur l'autre se dressaient vers le ciel. Je me suis senti toute petite en passant à côté de ces pierres gigantesques. Seuls des esprits très puissants pouvaient avoir taillé des pierres aussi grandes.

cerné : entouré

« Quels sont ces couteaux de géants ? » a murmuré Ilar qui pensait la même chose que moi.
Plus tard, j'ai appris que les hommes qui avaient taillé ces pierres les appelaient des « menhirs »…
Nous n'étions qu'au début de nos surprises. Le spectacle qui nous attendait en bas de la colline était ahurissant. Dans la plaine, s'élevaient des habitations qui n'étaient ni des grottes, ni des tentes, mais des maisons en bois, entourées de palissades. Près des maisons, nous avons vu d'autres prairies couvertes de blé et d'orge. Des animaux enfermés dans des enclos broutaient sans s'inquiéter de la présence toute proche des hommes. Des sortes de petits loups se promenaient entre les enfants qui leur caressaient la tête. Évidemment, vous, enfants de Molec, vous jugeriez ce spectacle banal, mais nous, montagnards et nomades qui n'avions jamais connu ni menhir, ni maison, ni chien, nous avions l'impression d'être en train de rêver.
On nous a poussés jusqu'à la place où étaient rassemblés tous les villageois. Leur chef trônait sur une grande chaise en bois, entouré par des hommes armés. Un homme très en colère est venu expliquer que nous avions dévasté sa terre et mangé son blé. Nous le regardions sans comprendre. Était-il fou ? Que signifiait « sa » terre, « son » blé ? Comment est-ce que la terre et les plantes qui y poussent pouvaient appartenir à quelqu'un ?

un enclos : un terrain clôturé

banal : quotidien, qui n'a rien d'extraordinaire

un menhir : monument préhistorique constitue d'un bloc de pierre vertical

dévaster : détruire complètement

Un village plein de surprises

Doïna interrompt son histoire. Un sourire flotte sur son visage mangé par les rides. Les villageois, suspendus à son récit, attendent patiemment qu'elle poursuive. Doïna remet une bûche dans le feu avant de poursuivre :

« À côté de cet homme en colère, se trouvait son fils, Almenn, mon époux, Almenn, votre ancêtre à tous, était alors un beau jeune homme aux longs cheveux blonds et aux yeux vifs et bleus. Il nous regardait avec curiosité et quand son regard a croisé le mien, il m'a souri. »

s'époumoner : crier à perdre son souffle

Son père continuait à crier et s'époumoner, en nous traitant de bandits, de voleurs, de sauvages. Il demandait au chef de nous punir sévèrement. Leur chef a répondu que visiblement, nous étions de pauvres nomades et que nous ne réalisions pas ce que nous avions fait. Et plutôt que de nous punir, le chef nous a demandé de réparer le mal que nous avions fait. Puisque la période de la moisson approchait et que les bras allaient manquer, nous irions travailler dans les champs.

J'ignorais ce que signifiaient la moisson et le travail des champs puisque nul dans ma famille quelqu'un n'avait jamais cultivé quoi que ce soit. Toutefois, l'idée de rester quelques jours me plaisait beaucoup car j'étais très curieuse de découvrir comment vivait ce peuple étrange. À mon grand soulagement, notre chef a accepté la proposition. Et pour montrer que nous aussi nous étions des gens honnêtes avec de bonnes intentions, il a offert sa plus belle peau d'ours à l'homme dont nous avions mangé le blé.

Nous avons installé notre campement un peu à l'écart des cabanes en bois des agriculteurs. Nous étions arrivés au moment où ils étaient en train de préparer la Célébration des Esprits de la moisson. Ilar et moi nous passions nos journées à fureter dans le village à nous étonner de tout ce que nous voyions. Nous avons appris à faire la différence entre les maisons, les étables et les greniers. Nous avons regardé comment on cuisait l'argile après l'avoir façonnée, pour obtenir des pots étanches. Almenn m'a montré comment dessiner de belles frises colorées sur l'argile cuite et je prenais de plus en plus de plaisir à être avec lui.

fureter : se déplacer un peu partout pour découvrir des choses inconnues

Ce qui me ravissait le plus, c'était les vêtements que portaient les gens de Molec. Je n'avais connu que des fourrures, aussi le lin tissé me semblait-il extraordinairement doux et souple.

le lin : plante cultivée pour les fibres de sa tige que l'on peut tisser

un mégalithe : monument de pierre comme les dolmens ou les menhirs

Mon frère, lui, était fasciné par ces armes étranges que les gens de Molec respectaient tellement qu'ils les gravaient sur leurs mégalithes.
« Ce sont des haches », a expliqué Almenn. « Elles sont sacrées car sans elles, nous ne pourrions pas couper les arbres et transformer la forêt en champs pour y planter notre blé. Voilà pourquoi nous les avons gravées sur nos pierres dressées. »
Almenn nous servait de guide et il répondait à toutes nos questions.
« Pourquoi avez-vous enfermé des animaux ? demandait Ilar.
– Pour avoir de la viande quand nous en avons envie.
– Mais alors, vous ne chassez plus ? fit Ilar très surpris.
– Quelques fois, quand nous avons fini notre travail, répondit Almenn.
– "Travail" ? »
Mon frère ouvrait de grands yeux, sans comprendre le sens du mot « travail ». Quand il avait faim, Ilar chassait. Quand il avait sommeil, il dormait et quand il avait envie de s'amuser, il faisait des concours de tirs au javelot avec ses amis ou il jouait de la flûte. Il n'arrivait pas à imaginer que les hommes puissent être obligés de passer des journées entières à travailler dans un champ pour ne pas mourir de faim.

La fête du solstice

Lorsque le solstice d'été est arrivé, tout le village s'est préparé pour grimper sur la colline où étaient dressés les mégalithes. D'autres agriculteurs sont arrivés des villages voisins, accompagnés de voyageurs venus de pays très lointains. Les gens se pressaient pour voir les objets étranges qu'ils avaient ramenés : des pierres brillantes, des fourrures zébrées, des bijoux en ivoire sculpté… Almenn a échangé une hache en pierre qu'il avait lui-même taillée contre un pendentif dans une matière dure, froide et brillante comme le soleil qui me fascinait.

le solstice d'été : le jour le plus long de l'année

« C'est du métal », a expliqué le marchand. « Du bronze. Là-bas, dans les pays du soleil levant, les hommes savent le faire fondre et ils lui donnent la forme qu'ils veulent. »

Almenn a placé le pendentif autour de mon cou. Sa sœur m'avait prêté une longue tunique blanche brodée de motifs rouges et elle avait arrangé mes cheveux à la mode de Molec. J'étais fière de ce joli vêtement de lin et de ma coiffure tressée de fleurs. Avec ce beau bijou brillant autour du cou, j'avais l'impression d'être la plus jolie fille du village. En tout cas, c'est ce que me disaient les yeux d'Almenn…

un cortège : ensemble de personnes qui se rendent à une cérémonie

une enceinte : l'espace encerclé par les mégalithes

Au moment où le soleil s'est couché, le cortège, accompagné par des flûtes et des tambours est arrivé en haut de la colline et nous avons pénétré dans l'enceinte sacrée des mégalithes. Pendant toute cette nuit qui est la plus courte de l'année, les villageois ont chanté et dansé autour des menhirs. Dans la lumière tremblante des torches, les pierres géantes me semblaient plus impressionnantes que jamais. Almenn avait pris ma main et nous ne nous sommes pas quittés de toute la fête.

Au petit matin, lorsque la lueur du soleil est apparue à l'horizon, les chants et la musique se sont arrêtés. Les villageois se sont rassemblés autour de la plus haute pierre dressée, la dernière au bout de l'allée. Lorsque le premier rayon du soleil a effleuré le sommet de cette pierre, ils se sont inclinés en implorant la Lumière qui donne la vie. Ensuite, ils se sont éparpillés pour rentrer dormir après cette nuit de fête.

Mon frère Ilar avait disparu et Almenn et moi avons commencé à le chercher. Ilar avait sans doute abusé de la boisson fermentée et il devait être en train de dormir dans les broussailles. Almenn s'est dirigé vers la forêt. J'ai continué à chercher Ilar dans l'enceinte sacrée et je suis passée devant un tumulus. Durant la nuit j'avais vu des hommes y pénétrer et je me demandais ce qu'il y avait à l'intérieur de ces collines de cailloux.

un tumulus : un monticule de pierre et de terre sous lequel se trouve une sépulture

Une fois passée l'entrée, j'ai compris que les cailloux recouvraient des sortes de tables, faites de gros blocs de pierre dressés à la verticale qui supportaient d'autres pierres horizontales. Les dolmens que j'avais pris pour des collines formaient comme des salles reliées entre elles par des couloirs. Ilar s'était endormi dans l'une de ces salles. Sa torche brûlait encore et j'ai pu examiner les parois qui étaient peintes et gravées comme nos grottes sacrées. Mais à la place des bisons et des mammouths, on voyait des poissons et des haches.
Ilar s'est réveillé de mauvaise humeur et il a fallu que je l'aide à sortir car il avait très mal à la tête.
Quand il nous a vus sortir du tumulus, Almenn a poussé de grands cris.
« Vous n'avez pas le droit d'entrer là ! Cette tombe appartient à une famille de nobles !
– Nobles ? a demandé Ilar. Qu'est-ce que ça veut dire ?
– Cela signifie qu'ils possèdent plus de choses que les autres, qu'ils ont plus de terres, ou plus de bétail. Les nobles ne sont pas enterrés comme tout le monde.
– Vous êtes vraiment trop bizarres ! a rétorqué mon frère. Chez nous, personne ne possède rien d'autre

rétorquer : répondre vivement

un rite :
une cérémonie religieuse

funéraire :
qui concerne les enterrements

que ses fourrures et ses outils. Et les rites funéraires sont les mêmes pour tous.
Il s'est éloigné en haussant les épaules. Je commençais à comprendre que mon frère n'aimait pas autant que moi la vie à Molec…

Rester ou partir ?

Le lendemain, c'était le premier jour de la moisson. Nous avons suivi les villageois dans les champs et ils nous ont montré comment nous servir de la faux. Nous nous sommes placés en ligne et nous avons commencé à couper les blés. Almenn m'a expliqué pourquoi les grains tenaient fermement aux épis : parmi toutes les sortes de blés qui existent dans la nature, les gens de Molec avaient choisi de cultiver celui qui ne s'éparpille pas dans le vent.

Le travail à la faux était long et difficile, mais grâce aux chants des moissonneurs le temps passait plus vite. Ilar tirait une drôle de tête et il n'arrêtait pas de râler : la poussière lui irritait les yeux, le soleil tapait sur sa nuque, il avait mal au dos à force d'être courbé sur les épis, ses doigts et son bras étaient engourdis de faire toujours le même geste. Quand à moi, je ne me plaignais pas, car je travaillais à côté d'Almenn qui était toujours gai et enjoué.

Ensuite, il nous a fallu rassembler les épis moissonnés, battre le blé pour séparer les grains de la tige, trier les grains et les entasser dans les grandes jarres en argile cuite. Ce travail non plus ne me

une faux :
un outil fait d'une grande lame recourbée fixée à un long manche

râler :
grogner, être de mauvaise humeur

irriter :
piquer

enjoué :
joyeux, aimable

déplaisait pas, mais je voyais bien qu'Ilar en avait assez. Il ne desserrait pas les dents et il obéissait de mauvaise grâce aux ordres des agriculteurs.
Après quelques jours, lorsque tous les grains furent bien à l'abri dans les greniers, les villageois ont organisé un grand banquet, comme celui qui nous rassemble ce soir, mes enfants. Et comme ce soir, nous avons mangé un bœuf grillé et des galettes de blé.
À la fin du repas, le chef du village a appelé notre chef et lui a posé les mains sur les épaules. Il a annoncé que grâce aux nomades qui étaient forts et courageux, la moisson avait été bien plus facile que d'habitude. Il pensait que ce serait une bonne chose si nous restions vivre avec eux. Le sorcier avait consulté les Esprits qui avaient répondu que les nomades amenaient la prospérité. Les villageois étaient prêts à nous aider à défricher la forêt pour y installer des champs, et ils nous montreraient aussi comment tailler des haches, travailler la terre et entretenir les cultures. Mon cœur s'est serré de joie. Je me sentais bien à Molec et surtout, je n'avais aucune envie de quitter Almenn. Notre chef a répondu que nous devions d'abord nous concerter avant de donner une réponse.
La famille s'est réunie près des tentes que nous avions montées et qui me paraissaient bien laides

la prospérité : la richesse

défricher : enlever les broussailles, les arbustes d'un terrain pour pouvoir le cultiver

se concerter : discuter pour se mettre d'accord

et inconfortables à côté des belles maisons en bois des villageois.
Chacun à son tour devait donner son avis, mais très vite tout le monde s'est retrouvé à parler en même temps. Et bizarrement, les hommes et les femmes se sont séparés et se sont mis à se disputer.
« Nous voulons rester ! ont dit les femmes. Les gens d'ici mangent toujours à leur faim.
– Oui, ont répondu les hommes, mais ils mangent toujours la même chose : des galettes de blé, des galettes d'orge, des galettes de blé, des galettes d'orge… Et puis si leur récolte est mauvaise, ils ne savent même plus se nourrir des choses de la forêt.
– Ils ont plus d'enfants, ont poursuivi les femmes, et leurs bébés meurent moins que les nôtres.
– Sans doute, ont rétorqué les hommes. Mais comme ils ont beaucoup d'enfants, ils sont obligés de travailler beaucoup pour les nourrir.
– Ils ne sont pas obligés de se déplacer sans arrêt, ni de courir les bois ou de gratter les racines pour manger.
– Peut-être, répliquèrent les hommes, mais leur vie est monotone et ennuyeuse. Ils voient toujours le même paysage, ils ne connaissent pas la joie de découvrir une prairie pleine de gibier ou de contempler un lever de soleil sur une montagne inconnue.
– Leurs Esprits sont plus forts que les nôtres, ont

monotone : toujours pareil

du gibier : les animaux sauvages que l'on chasse

poursuivi les femmes. Grâce à eux, les plantes poussent comme les gens d'ici le désirent et les animaux leur obéissent. »

Les hommes n'ont rien trouvé à répondre. Certes les femmes avaient raison. Ce peuple possédait bien des savoirs qui nous manquaient et leurs Esprits habitaient des maisons en pierre qui semblaient indestructibles.

indestructible : que rien ne peut détruire

L'étoile d'Ilar

C'est alors que mon frère Ilar a pris la parole :
« Les hommes d'ici se trompent, a-t-il déclaré. Parce qu'ils font pousser des graines et qu'ils ont construit des enclos, ils croient que la terre et les animaux sont à eux. Mais la terre et les animaux appartiennent aux Esprits et aucun homme ne peut les posséder. Peut-être que la vie des agriculteurs est plus facile, et que leurs enfants sont mieux nourris. Mais moi, je ne veux pas passer mes jours courbé sur un champ et chasser quand il me reste du temps. Je veux être libre d'aller où il me plaît, de chasser quand j'ai faim et de dormir quand j'ai sommeil. Je veux que mes enfants honorent des Esprits libres et indomptables et non pas des dieux enfermés dans des maisons de pierre comme des bœufs dans un enclos ! »
Un grand silence a suivi la déclaration de mon frère. Mes yeux s'emplirent de larmes, car je savais déjà ce qui allait arriver. Nous allions nous séparer. Certains d'entre nous allaient rester et d'autres, comme Ilar, s'en iraient avec leurs arcs et leurs harpons vers d'autres mers, d'autres montagnes, d'autres prairies…

indomptable : qui ne se laisse par enfermer

une déclaration : un discours

C'est ce qui s'est passé. Je suis restée et j'ai épousé Almenn. J'ai oublié mon nom de fille de l'Ours et je suis devenue Doïna, une femme de Molec.

La voix de Doïna s'éteint. Les villageois ne disent rien, leurs yeux sont fixés sur les flammes qui dansent dans la nuit.
« Moi, s'écrie soudain un des arrière-petits-enfants de Doïna. J'aurais fait comme Ilar. Chasser, c'est beaucoup plus drôle que moissonner !
– Pas moi ! s'écrie un autre. J'ai peur de dormir dans la forêt. Il y a plein de bêtes dangereuses et d'Esprits mauvais.
– Doïna, est-ce que tu as revu ton frère que tu aimais tant ? demande une petite fille qui a les larmes aux yeux.
– Non, jamais, répond l'aïeule avec un doux sourire. Voilà pourquoi je dors quelquefois dehors. Lorsque Ilar me manque, je m'allonge sous la voûte étoilée. Et je cherche son étoile jusqu'à ce que le sommeil me gagne. Alors, je suis sûre qu'il viendra me visiter en rêve pour me raconter ses chasses et me décrire les couchers de soleil sur la montagne. Peut-être que dans le fond de mon cœur, je suis restée une nomade… »

Si tu as aimé *les histoires de ton Bibliobus La Préhistoire*, tu aimeras aussi :

Illustration de couverture : **Thomas Ehretsmann**

Le premier dessin du monde
de Florence Reynaud

Livre de Poche Jeunesse n° 738

Il y a environ 30 000 ans, aux temps anciens de la préhistoire, un enfant, Killik, découvre la magie du dessin. Sous ses doigts, dans le sable, un bison prend naissance, puis un autre. L'enfant comprend que, grâce à son talent, il peut faire revivre les bisons qui passent. Mais pour le clan, le don de Killik est comme une menace et l'enfant devient un danger.

UNE SÉRIE DE PAUL THIÈS
ILLUSTRÉE PAR MÉREL

Petit-Féroce contre les Marmicreux

Petit-Féroce et sa famille

Petit-Féroce et le monstre des neiges

Petit-Féroce part en vacances

Petit-Féroce et ses amis

Petit-Féroce n'a peur de rien

Petit-Féroce est un champion

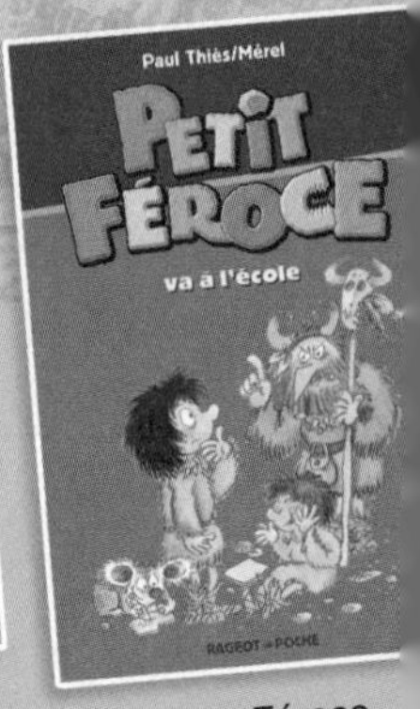

Petit-Féroce va à l'école

RAGEOT POCHE
www.rageotediteur.fr

La préhistoire a son héros !

Illustration : Mérel

Table

Achevé d'imprimer en Slovaquie par Polygraf

Dépôt légal: Mai 2018 - Collection n° 73 - Édition 11

11/7412/7